SOMMAIRE

MAURICE DENIS
LE SPIRITUEL DANS L'ART

Jean-Paul Bouillon

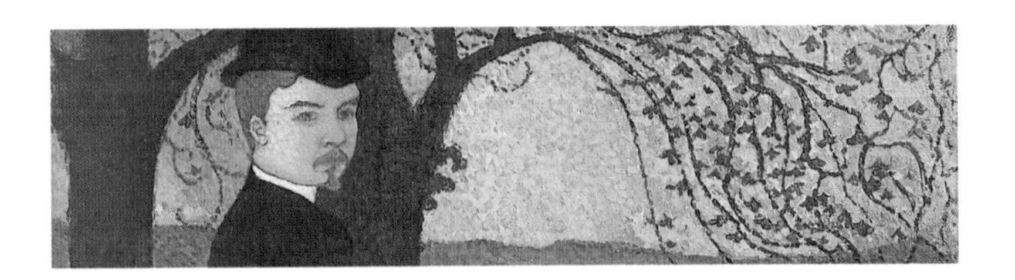

DÉCOUVERTES GALLIMARD
RÉUNION DES MUSÉES NATIONAUX
ARTS

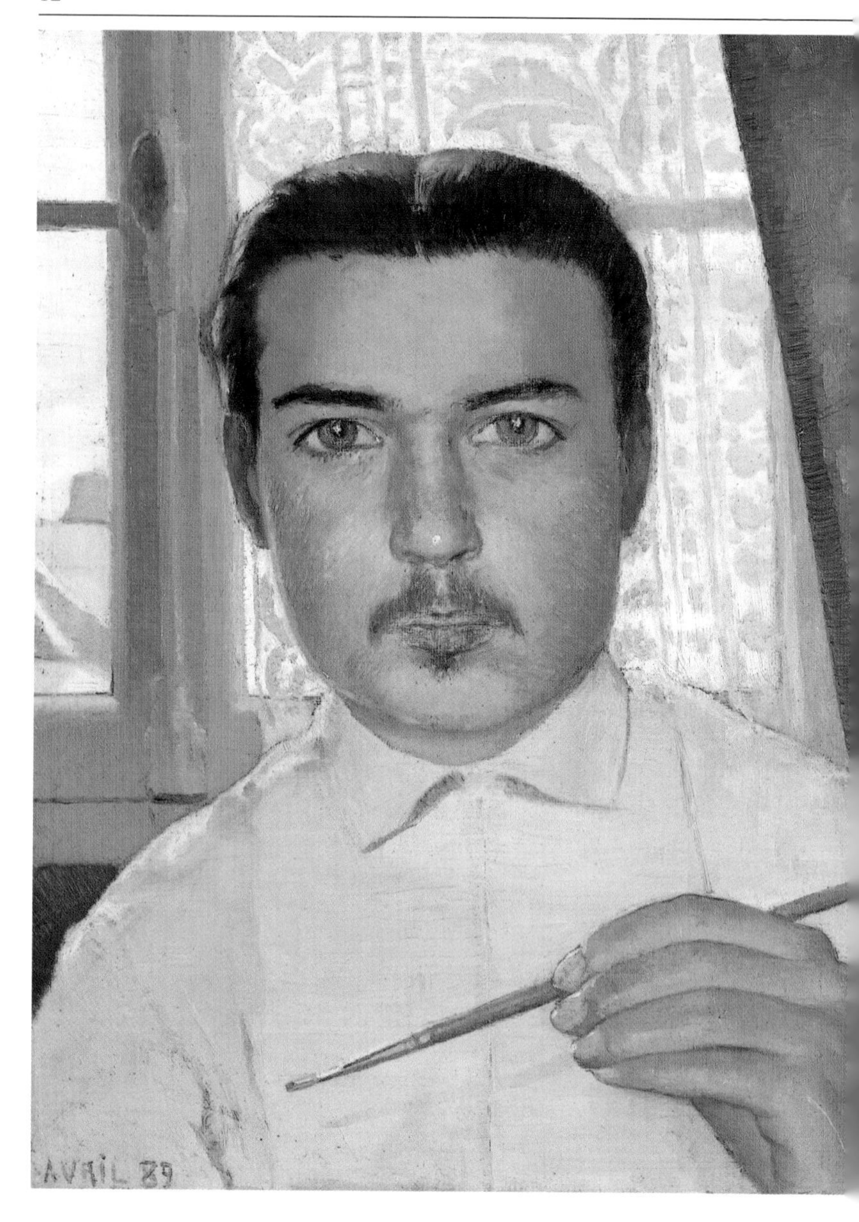
AVRIL 89

« D'abord j'écrirai mes notes : il y a là de quoi faire. Et puis je ferai de l'Art, de l'Art en masse, en tout et partout. Je me gorgerai, je m'enivrerai de cette pure et sainte jouissance, de cette douce vie, si désirée, d'artiste. »

Maurice Denis, *Journal*,
30 juillet 1885

CHAPITRE 1

AUX SOURCES DE LA NOUVELLE PEINTURE

La vocation de Maurice Denis se manifeste tôt par le dessin, avec l'observation aiguë de la réalité dans les croquis (ci-dessus, 1886), mais aussi dans le premier autoportrait peint (page de gauche, 1889). Il allie une composition méditée – pour le peintre chrétien : le pinceau et la croix de la croisée – à la détermination de la pose frontale et du regard lumineux.

Credo initial

En 1884, à Saint-Germain-en-Laye, un adolescent commence à 13 ans à rédiger son *Journal*, ces « notes » qui ne le quitteront plus. Pour écrire, en mai de l'année suivante : « Oui, il faut que je sois peintre chrétien, que je célèbre tous ces miracles du Christianisme, je sens qu'il le faut. » C'est ce qu'on appelle une vocation, incoercible, et scellée dans

l'écriture : elle sera pleinement accomplie, et dans la voie indiquée. La personnalité d'artiste de Denis s'est formée avant même qu'elle trouve la forme qui répondra pleinement à son besoin irrépressible d'exister, avant même les années nabies. La foi en est la composante première, à quoi s'ajoutera tout aussi précocement la composante amoureuse, pour une sainte trinité de l'amour, de l'art et de la religion, qui fait sa marque spécifique. Les amours enfantines s'abritent dans l'église de Saint-Germain, sous l'embrassement généreux du Christ

Les Denis sont d'origine paysanne, des environs d'Alençon. Constant Eugène (1834-1911, à gauche), après quatre ans d'armée, a été employé à la gare de la ville avant de faire carrière à Paris, aux Chemins de fer de l'Ouest. Le peintre évoque dans son *Journal* « son air civilisé, sa peau blanche, et ses traits délicats ». Aglaé Hortense, née Adde (1840-1914, ci-dessous), fille de meunier, a été apprentie de mode, avant son mariage, en 1865, et leur installation à Saint-Germain-en-Laye. Maurice, qui parle de « sa finesse paysanne et son bon sens », est un enfant unique choyé, qui ne s'opposera brièvement à ses parents qu'au moment de ses fiançailles.

à la voûte d'abside peinte par Amaury-Duval en 1849, et au milieu des fumées d'encens que traversent les figures féminines (« Les cierges s'éteignent, les dames circulent, se croisent, la fumée s'élève lentement : ce sont des ombres noires qui s'agitent dans de la vapeur bleue », 2 août 1885). Quatre ans plus tard, le premier autoportrait répond à ce programme, avec ce « beau front au-dessous duquel deux yeux, purs comme ceux d'une vierge et aimables comme ceux d'un enfant, brillaient d'un vif éclat », tels que s'en souviendra plus tard Verkade : c'est bien au nombre de ces « élus », qui préfèrent « hardiment l'esprit à la matière », que Denis se compte alors.

Les cérémonies liturgiques sont parmi les premières émotions plastiques du jeune peintre, comme en témoigne ce beau pastel, où l'on voit apparaître les teintes vives, en aplat, et la stylisation des formes, comme autant de motifs associés à des thèmes expressifs. Telle la figure en bas à droite, repliée sous le voile auquel elle s'intègre : inspirée par un chaste amour d'adolescence pour « Jeanne la Douce », mais reprise également telle quelle dans maints tableaux de contextes différents, dont *Mystère catholique* en 1889.

L'ancien et le nouveau

Rien n'est venu contredire cette vocation, dans la famille tranquille où l'enfant est paru, le 25 novembre 1870. Sur le plan artistique, ellese nourrit des conseils de praticiens locaux, mais c'est le futur peintre lui-même qui l'alimente. Au Louvre d'abord, pour trouver son idéal prédécesseur avec Fra Angelico, dont le Sâr Péladan vient de célébrer (1884) l'art idéaliste, exemple à suivre pour régénérer un XIXe siècle en décadence. Dans le *Couronnement de la Vierge*, « la lumière est diffuse, le jour blanc. [...] Le coloris est pâle, comme les ombres ; points de teintes, des couleurs franches » (*Journal*, août 1885) : un modèle de palette pour plus d'une toile à venir, comme les prédelles donneront l'exemple de compositions et d'espaces autres que ceux de la tradition académique. Il y a encore le « divin Raphaël », et Botticelli, dont les deux panneaux provenant de la Villa Tornabuoni, avec « la candide élégance d'un dessin serré, l'harmonie sereine d'une composition décorative et la blancheur

D'aucuns ont actuellement la pensée qu'un jour, grâce à des sommes d'efforts inouïs, toutes ces sciences auront leurs méthodes précises, comme la physique à la science; qu'elles découvriront des systèmes de lois invariables, à tel point que la Sociologie ou l'Esthétique n'auront rien à envier à l'Astronomie elle-même : enfin, qu'elles arriveront à des conclusions rigoureuses, nécessaires, indiscutables, au même titre que la Science des Nombres.

Denis a fait d'excellentes études à l'Institution Vilon, à Saint-Germain-en-Laye, puis à partir de 1882 au lycée Condorcet. Sur une photo de classe de 1887, portant lavallière, il tranche par son sérieux et son regard volontaire.

d'un coloris pâle, dans une atmosphère lumineuse et douce », paraissent introduire directement aux Denis des années 1890. Dans le siècle, en revanche, il y a peu à prendre, en cette période dominée par un naturalisme convenu. L'avant-garde impressionniste est en crise : sa dernière exposition a lieu en 1886, mais le jeune élu l'ignore encore. Un grand ainé se découvre en revanche : Puvis de Chavannes, que Durand-Ruel expose largement en 1887. « Aspect décoratif, calme et simple de ces peintures [...] composition sage, grande, éthérée, [...] impression douce et mystérieuse qui repose et élève » (*Journal*, 18 décembre 1887) : c'est un patron que Denis n'abandonnera plus, sa vie durant. Et l'effet converge avec celui qu'ont produit les Italiens, bible sûre désormais, réunissant l'ancien et le nouveau, Fra Angelico et Puvis.

Plus important encore sera l'enseignement privé de l'abbé Vallet, sous la direction duquel il approfondit sa connaissance de la philosophie, dont témoignent les notes serrées rédigées sous sa direction en 1887 et 1888. Elles enchaînent avec celles prises à Condorcet sous la dictée de Boirac, le professeur de philosophie qui a introduit Denis à Taine et au positivisme (en haut).

Le positivisme

Élève brillant du lycée Condorcet à Paris, Denis quitte cependant la classe de philosophie fin 1887, pour préparer les concours d'entrée à l'École des beaux-arts. Inscrit à l'Académie Julian en 1888, il réussira en juillet le concours et en novembre son baccalauréat de philosophie, préparé en candidat libre, avec l'aide de son mentor de Saint-Germain, l'abbé Vallet. « Un vieux prêtre ami, me faisait lire Stuart Mill et Herbert Spencer pour me préserver du kantisme officiel », racontera-t-il à Jacques-Émile Blanche, en 1940. Les notes de son cahier de philosophie permettent de confirmer ce qu'il a toujours affirmé, pour mettre fin à un contresens persistant. Si le rejet de la peinture naturaliste et du matérialisme en général est aussi vigoureux chez lui que chez ses jeunes condisciples (Sérusier, Bonnard, Ranson, Roussel, Vuillard, Ibels et Piot), il ne s'en appuie pas moins sur l'adhésion pleine et entière à la philosophie de Comte, telle que Taine et Spencer l'ont vulgarisée. La révolution nabie, comme il écrira encore, « certes non, ce n'était pas une théorie idéaliste. Résultat immédiat des philosophies positives, alors en vogue, et des méthodes d'induction que nous eûmes en si grand respect, ce fut bien la tentative d'art la plus strictement scientifique » (1896). « Notre perception extérieure est un rêve du dedans qui se trouve en harmonie avec les choses du dehors [...] », disait Taine dans *De l'intelligence* en 1870. Denis lui fait écho, résumant, en 1909, le changement radical qu'a alors entraîné, pour lui et ses amis, cette philosophie : « L'art n'est plus une sensation seulement visuelle que nous recueillons, une photographie, si raffinée

« Une Annonciation que j'appelais, par crainte d'être banal, *Mystère catholique* », dira modestement Denis en 1918. Avec ses cinq versions, de 1889 à 1891, son premier grand tableau rompt avec le naturalisme pour évoquer le monde de l'inconnaissable par autant de signes de l'invisible. Devant le paysage à la tonalité franciscaine, les personnages désincarnés sont ramenés à l'aplat, les croix se démultiplient, à la fenêtre ou sur la dalmatique, tandis que le lis s'incline, comme la Vierge inspirée par « Jeanne la Douce » : tableau de foi, mais tout autant manifeste esthétique.

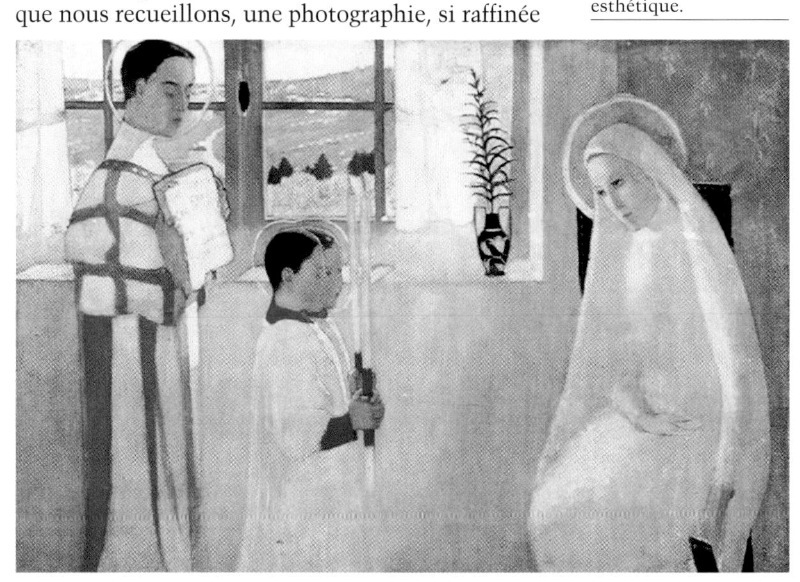

soit-elle, de la nature. Non, c'est une création de notre esprit dont la nature n'est que l'occasion. » Le positivisme, qui n'est pas un matérialisme, était tout à fait compatible avec la religion : mais le mystère, pour Denis comme pour sa peinture, sera toujours dans la pleine lumière de l'intelligence.

Découverte de Gauguin

À cette solide armature théorique manquent encore les moyens techniques qui permettront d'actualiser et de concilier la plastique de Puvis et l'esprit de l'Angelico. Denis hésite un temps devant le néo-impressionnisme de Seurat, mais son « scientisme » est contradictoire avec ses aspirations de peintre

Le rapprochement de la *Vache au-dessus du gouffre* de Gauguin, exposée en 1889, et des *Taches de soleil sur la terrasse* de Denis, selon la dénomination tardive de ce petit tableau d'octobre 1890, suffit à résumer l'importance de la révélation que fut pour lui la peinture de son aîné. Là où le jeune artiste expérimente encore sur un motif de nature – un effet d'éclairage sur la terrasse de Saint-Germain-en-Laye, ses arbres et ses passants –, Gauguin donne une œuvre plus complexe, dont la marque se fera longtemps sentir : le point de vue en forte plongée, sans ciel, comme la barque détachée dans le haut vers un mystérieux ailleurs, reviendront dans la *Solitude du Christ* de Denis, en 1918.

chrétien. La solution apparaît l'année suivante, quand Gauguin et ses amis exposent au Café Volpini, en marge de l'Exposition universelle de 1889 : « Quel éblouissement d'abord, et ensuite quelle révélation ! Au lieu de fenêtres ouvertes sur la nature, comme les tableaux des impressionnistes, c'étaient des surfaces lourdement décoratives, puissamment coloriées et cernées d'un trait brutal, cloisonnées, car on parlait aussi, à ce propos, de cloisonnisme et encore de japonisme », se souviendra Denis en 1934. La peinture nouvelle de Gauguin vient ainsi exactement à la rencontre des analyses positivistes. « La couleur et la figure visible ne sont que des événements intérieurs, en apparence extérieurs », disait encore Taine dans *De l'intelligence* : s'il n'a pas vu à cette date *La Vision après le sermon*, qui paraîtrait illustrer directement cette proposition, Denis a trouvé dans les œuvres exposées le parti pris antinaturaliste qui répondait à son attente. Par souci de se constituer une généalogie cohérente, il a ensuite placé l'enseignement de Gauguin sous le patronage de son ami et aîné Sérusier et de son *Talisman*, tableautin peint sous la direction du Maître, qu'il a plus tard pieusement recueilli. Mais c'est bien directement l'œuvre du premier qui a donné l'impulsion : en 1890, les *Taches de soleil sur la terrasse*, et quelques cartons similaires, appliquent avec un systématisme qui ne durera pas, comme pour bien en assimiler la portée, la leçon du Café Volpini.

En 1892, la lithographie pour la *Réponse de la bergère au berger* de Dujardin rend hommage aux figures féminines des estampes japonaises : un outil plastique parmi d'autres, pour cet échange sentimental fait de la réserve des gestes

et de la délicatesse des poses, dans un jardin où la barrière aux lattes entrecroisées et les fleurettes stylisées résument obstacles et plaisirs de la quête amoureuse.

Découverte du Japon

L'Angelico, Puvis, Gauguin : l'année 1890 apporte une dernière pierre avec la grande rétrospective de l'estampe japonaise organisée à l'École des beaux-arts. En soi la chose n'est pas nouvelle et, depuis la fin des années 1850 puis l'Exposition universelle de 1878, c'est à une troisième vague de japonisme au moins que l'on assiste. Mais devant des yeux neufs : Denis, qui a aussi commencé à découper les couvertures du *Japon artistique* de Siegfried Bing l'année précédente, retrouve dans les drapés élégants et les poses raffinées des héroïnes de Harunobu, de Kiyonaga ou d'Utamaro, les grâces des Botticelli du Louvre, et les données d'un amour épuré et « courtois » dont il se voulait aussi le célébrant, mais intégrées cette fois dans un système décoratif cohérent, où les exigences de la technique et du matériau permettent de faire valoir la spécificité de l'ouvrage en aplats comme l'usage des teintes pures. C'est un complément de la leçon de Gauguin, qui y trouvait lui-même un point d'appui. Et dont Denis peut ainsi appliquer le programme, exposé à Émile Bernard en novembre 1888 : « Du Puvis coloré à faire mélangé de Japon ». Mais avec un culte de l'arabesque que ce « sauvage » de Gauguin, comme il aimait à se nommer, ne pratique pas à ce point : celui qui se manifeste déjà dans les *Taches de soleil*, là où le *Talisman* de Sérusier n'offrait qu'une sèche juxtaposition de touches orthogonales.

Depuis qu'il l'a découverte, en 1887, l'œuvre de Puvis de Chavannes ne cesse de courir en filigrane dans celle de Denis. Pour la force de son système plastique – le dialogue des arbres et de la figure, la composition décorative, les simplifications... –, mais aussi pour sa symbolique, propre à la spiritualité : l'*Enfance de sainte Geneviève*, au Panthéon, joue à cet égard un rôle déterminant (détail ci-dessus).

Le néo-traditionnisme

Denis est désormais armé pour poser les fondations de la nouvelle peinture. C'est l'article fameux publié en août 1890, dans la revue *Art et critique*, dont la première phrase a longtemps occulté de sa célébrité le reste du texte : « Se rappeler qu'un tableau – avant d'être un cheval de bataille, une femme nue, ou une quelconque anecdote – est essentiellement une surface plane recouverte de couleurs en un certain ordre assemblées. » Définition dérivée directement, au demeurant, de la *Philosophie de l'art* de Taine (« Par elles-mêmes et en dehors de leur emploi imitatif, les couleurs, comme les lignes, ont un sens [...]. Un tableau est une surface colorée, dans laquelle

Beaux-Arts

NOTES D'ART

DÉFINITION DU NÉO-TRADITIONNISME

I

Se rappeler qu'un tableau — avant d'être un cheval de bataille, une femme nue, ou une quelconque anecdote — est essentiellement une surface plane recouverte de couleurs en un certain ordre assemblées.

Mystère de Pâques, peint en 1891, donne au tableau de chevalet une dimension monumentale qui doit directement à Puvis. Mais la riche thématique de Denis s'y concentre avec densité. Il place dans le paysage printanier de Saint-Germain-en-Laye l'annonce de la Résurrection aux femmes prosternées, faite par une figure voilée qui évoque encore Jeanne la Douce, tandis qu'au second plan, la procession des communiantes s'agenouille devant une main qui tend l'hostie : un leitmotiv qu'on retrouvera notamment dans l'illustration de *Sagesse* de Verlaine, commencée à la même époque.

les divers tons et les divers degrés de lumière sont répartis avec un certain choix ; voilà son être intime... »). Dans une perspective moderniste, on a longtemps voulu y voir l'amorce d'une marche glorieuse vers la « peinture pure », d'où le sujet est congédié. Denis se garde bien de cette possibilité, le texte ne visant qu'à inverser l'ordre des priorités pour privilégier la recherche d'une expression par la forme d'abord : « Et la profondeur de notre émotion vient de la suffisance de ces lignes et de ces couleurs à s'expliquer elles-mêmes, comme seulement belles et divines de beauté [...]. En la beauté de l'œuvre, tout est contenu. » Loin de tout bouleverser, c'était vouloir renouer avec l'essence même de l'art, depuis les Égyptiens, pour opposer, par exemple, l'« expressif et décoratif » Puvis à l'académique Bonnat. D'où le titre d'ensemble du texte : « Définition du néo-traditionnisme », avec la volonté aussi de s'opposer au progressisme du néo-impressionnisme de Seurat et de ses disciples pour rejoindre une plus ancienne et plus haute tradition. Même s'il ne réussit pas à imposer la formule, Denis, qui ne devait plus dès lors lâcher la plume du théoricien, devint du même coup le héraut de son petit groupe de « prophètes », les nabis.

L'*Éventail des fiançailles*

Reste à faire fonctionner cet ensemble complexe et maintenant cohérent, depuis les références plastiques jusqu'au système philosophique.

Les « Quatre panneaux pour une chambre de jeune fille », exposés sous ce titre au Salon des indépendants de 1892, au temps des fiançailles de Maurice Denis et de Marthe (page de droite), évitent d'évoquer l'hiver, pour confier aux douceurs d'*Octobre* (à gauche) l'arrivée de Marthe et de sa sœur Eva, mordorées et nacrées, accordées aux frondaisons, sur le tapis des premières feuilles tombées. Le critique Gustave Geffroy évoquera « des gaîtés fines, des danses lentes [...], des mains frêles cueillant des fleurs, des robes pâles, un parc sombre, la campagne rose », assurant déjà sa réputation d'originalité au jeune peintre.

La flamme inspiratrice, ce sera la compagne en qui les amours de jeunesse trouvent leur accomplissement. Denis rencontre Marthe Meurier en octobre 1890 et lui consacre dans son *Journal* à partir de juin 1891 des pages ferventes, dans une section intitulée « Amours de Marthe » : elles nourriront l'œuvre pendant une longue période de fiançailles, jusqu'au mariage, le 12 juin 1893, et leur présence sera centrale dans la peinture de Denis jusqu'à la mort de l'aimée en 1919. On pourrait évoquer d'autres précédents illustres, Rembrandt et Saskia, Rubens et Hélène Fourment... Mais la figure de Marthe apporte en plus une « figure » précisément, cette forme d'une pureté idéale du visage, et cet élan sur le chemin de la vie, qui nourrit un motif emblématique de ces premières années : la jeune fille au visage réduit à la ligne arabesque d'un profil levé vers le ciel, et qui avance confiante, livre à la main, telle qu'on peut la voir par exemple sur l'*Éventail des fiançailles* qui lui est dédié, le 17 novembre 1891. La peinture de Denis va se développer autour de ce « foyer », construire autour de lui le décor qui lui convient, et pour commencer ce projet idéal d'une « chambre de jeune fille » et ses quatre panneaux accordant la vie amoureuse au rythme des saisons... Au début des années 1890 Denis a fini de réunir les composantes de sa nouvelle peinture qui, fondamentalement, ne varieront pas : un art dont l'essence est de manifester par sa forme amour et foi, qui sont choses semblables. L'alliage lui est absolument spécifique au sein du groupe des nabis, et même dans la jeune peinture du moment.

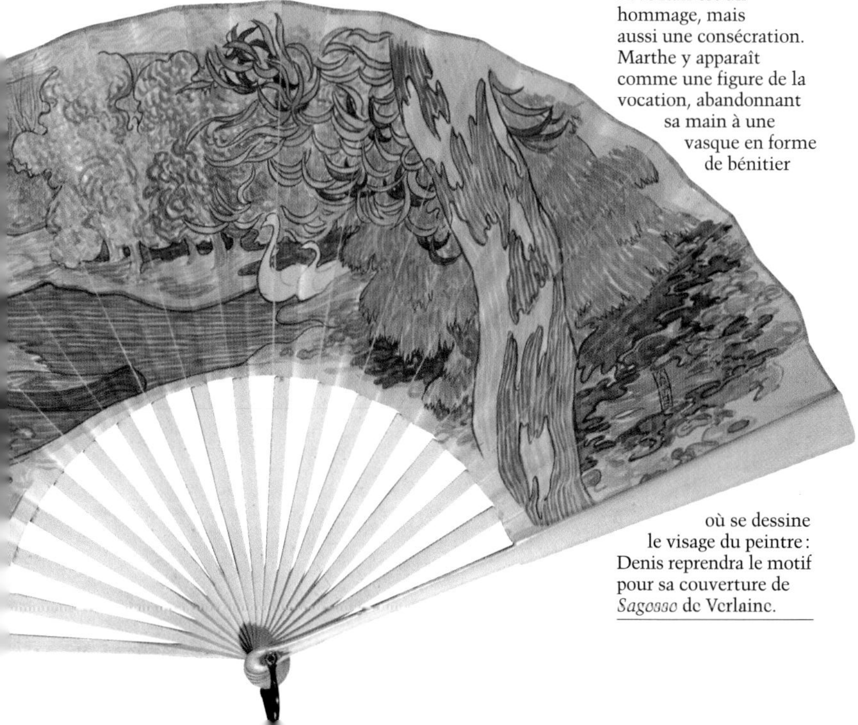

Avec la date et le prénom de l'élue inscrits dans deux cartouches, à droite et à gauche, l'éventail est un hommage, mais aussi une consécration. Marthe y apparaît comme une figure de la vocation, abandonnant sa main à une vasque en forme de bénitier où se dessine le visage du peintre : Denis reprendra le motif pour sa couverture de *Sagesse* de Verlaine.

« L'Art reste le refuge certain, l'espoir d'une raison dans la vie d'ici-bas et cette pensée consolante qu'un peu de beauté se manifeste ainsi dans notre vie, que nous continuons l'œuvre de la création [...]. Alors le travail d'Art est méritoire, inscrire dans la merveilleuse beauté des fleurs, de la lumière, dans la proportion des arbres et le dessin des vagues, et la perfection des visages, inscrire notre pauvre et lamentable vie de souffrance, d'espoir et de pensée. »

Maurice Denis, *Journal*, 24 mars 1895

CHAPITRE 2

AU TEMPS DU SYMBOLISME

Dans la peinture de Maurice Denis, Marthe est à la fois familière et transfigurée : occupée à la cuisine (page de gauche), mais c'est là la Marthe de l'Évangile, et le Christ auréolé figure au fond ; ou en « Damoiselle élue », ornant la couverture de la partition de Debussy (ci-contre) : tournée alors vers les âmes qui montent au ciel derrière elle.

Le choix du symbole

En donnant pour programme au groupe de ses amis nabis le « néo-traditionnisme », Denis prenait position dans un contexte de l'avant-garde picturale particulièrement agité. La crise de l'impressionnisme était officiellement ouverte depuis 1886, l'année même où le manifeste publié dans *Le Figaro* par Jean Moréas lançait définitivement la vogue du symbolisme littéraire. Mais les successeurs potentiels quittaient bientôt eux-mêmes la scène prématurément : disparition de Van Gogh en 1890, de Seurat en 1891 et, à la fin de la même année, premier départ de Gauguin pour Tahiti, laissant au critique G.-Albert Aurier le soin d'en faire le héros du « symbolisme en peinture » (titre d'un article du *Mercure de France*, mars 1891). Ici se situait l'enjeu principal. Dans un même rejet de l'académisme et du réalisme – jusqu'en son dernier avatar, l'impressionnisme, qui suppose un primat de la donnée de nature –, on trouve d'un côté la réaction idéaliste, d'inspiration néoplatonicienne, avec un monde des idées dont l'œuvre d'art devrait donner la « correspondance », selon une tradition baudelairienne bien établie. De l'autre, on a la réaction « traditionniste », d'inspiration positiviste, avec un

Pour l'illustration de *Sagesse* de Verlaine, qui l'occupe de 1889 jusqu'à la publication du livre par Vollard en 1911, Denis a commencé en 1891 par graver lui-même sept bois audacieux, sans rapport direct avec les poèmes. La technique favorise un haut degré de stylisation, qui aide à la formulation du symbolisme qui lui est propre : *Vous êtes calme* (ci-dessous) reprend la procession et l'agenouillement des communiantes devant la main à l'hostie qu'on voit dans le *Mystère de Pâques* contemporain ; sur le bois original de *L'Ennemi se déguise en l'Ennui* (page de droite, en bas), un petit personnage nu et auréolé, avec tablette et banderole à la main, évoque quelque figure de Puvis.

Allégorie mystique, mais sans allégorie ni mysticisme, que cette scène familière arrachée au prosaïsme naturaliste (ci-contre). L'image en miroir offre un double portrait de Marthe, aux yeux ouverts et aux yeux baissés, au livre et au service à thé, étroitement associée au décor (fenêtre ou tableau au mur ?), le tout en plan rapproché, monté en puzzle, et serré dans l'armature des diagonales : vie active pour celle qui porte le plateau, et vie contemplative pour celle dont la lecture éveille l'esprit, suggérant les deux faces d'une même personnalité. Dans cette icône fascinante, l'équivoque du sens fait la force du symbole, tout entier réfugié dans l'organisation plastique.

au-delà invisible, mais totalement inconnaissable, dont l'œuvre d'art, suivant la leçon de Taine, devait trouver, avec ses ressources propres, l'« équivalent ».

Le concept de « symbole » peut convenir aux uns et aux autres, mais le mot est revendiqué par Aurier, qui renchérit en avril 1892, avec un autre article remarqué sur « Les peintres symbolistes » (dans la *Revue encyclopédique*). « En la beauté de l'œuvre tout est contenu » : en insistant ainsi, dans son article de 1890, sur l'organisation autonome du signe, indépendamment de son renvoi à une réalité extérieure qu'il nous est impossible de connaître, Denis assumait le paradoxe d'un art assurément à « contenu » mais qui n'est pourtant que « décoratif », c'est-à-dire tout entier dans ses surfaces. Un projet qui va percer et rayonner progressivement avec une puissance singulière.

Le choix du réel

Pour être un théoricien et un écrivain de première force, Denis n'en est pas pour autant un artiste perdu dans un monde purement spéculatif. Celui qui, enfant encore, pouvait se penser comme « moine-peintre », a choisi définitivement le parti du réel. Ses fiançailles en témoignent, mais tout autant ses stratégies de carrière, qui révèlent une grande habileté. Sur ce plan aussi, nous sommes à un moment de transition. L'État est en train d'abandonner sa tutelle sur les arts. Les artistes gèrent eux-mêmes leur Salon annuel depuis 1881. Un Salon des indépendants existe depuis 1884 (« ni jury ni récompense »). En 1890 précisément, le Salon principal se scinde, avec la création par les

Le journal *La Dépêche de Toulouse* organisait des expositions dans ses locaux, dont celle des nabis en 1894. Denis, qui, comme ses amis, lithographiait à l'occasion ses catalogues (ci-dessus, chez Le Barc de Boutteville en 1893), n'a pas hésité à répondre à la commande d'une affiche, participant ainsi à un art en complet renouvellement (ci-contre). Sa figure féminine, avec son déploiement d'arabesques, relève bien de l'esthétique nouvelle, mais elle montre aussi le public enthousiaste, l'entrée du journal, et l'instrument de la diffusion des nouvelles : le télégraphe. Pourtant – curieux acte manqué –, il dessine deux fois un pied gauche : une faute que le commanditaire ne relèvera que plus tard !

dissidents d'une « Société nationale des Beaux-Arts », qui expose elle aussi annuellement. Denis est sur tous les fronts, exposant chez les uns et les autres, comme encore à la Libre Esthétique de Bruxelles, vitrine européenne de l'avant-garde, dès sa première manifestation, en 1894. Et sur le front principal : celui du marché libre de l'art, auprès des collectionneurs et mécènes, et dans les galeries, en pleine expansion, avec cette formule moderne et pleine d'avenir qui associe marchand et critique d'art, le second faisant, pour son propre bénéfice aussi, la promotion des artistes qu'expose le premier.

Gauguin, entre autres, est un virtuose du nouveau système, et Denis dans sa suite, avec notamment l'homme qui va soutenir continûment le mouvement nabi dans sa période de pleine floraison : Le Barc de Boutteville, entre 1891 et 1897 – pour enchaîner ensuite avec Vollard –, et des critiques comme Gustave Geffroy, Félix Fénéon, Yvanhoé Rambosson, Arsène Alexandre, ou le Camille Mauclair des débuts. Quant aux collectionneurs, Arthur Huc, homme de presse et animateur de la prospère *Dépêche de Toulouse*, présente aussi à Paris, et qui organise ses propres expositions, en est un bon exemple. Amour, bonheur, succès : le jeune peintre est un élu du ciel, mais du siècle tout autant.

Arthur Huc, le patron de *La Dépêche*, donne l'exemple de cette clientèle nouvelle pour laquelle l'art d'avant-garde est à la fois un moyen de promotion et un plaisir. Il achètera et commandera d'autres œuvres à Denis, notamment deux panneaux décoratifs en forme de tapisseries, pour les portes de son bureau toulousain. Dans son portrait de 1892 (ci-dessus), le peintre résume les traits de cette personnalité – sans oublier la décoration à la boutonnière –, dans un format oblong insolite et « moderne », à la japonaise, qui l'absorbe tout entier dans la nouvelle peinture, jusqu'à la cigarette, qui permet le déploiement d'une caractéristique arabesque en virgules répondant aux mouchetures du fond.

En 1892, la figure de Marthe s'incarne dans une série de « dormeuses » (ci-contre), qui trouvent leur origine dans la pièce de Gabriel Trarieux, *Songe de la Belle au bois*. Le motif de la femme à la tête appuyée sur l'épaule, met particulièrement en valeur la ligne gracieuse du visage de Marthe (ci-dessous). Celui-ci est imbriqué dans une composition en mosaïque, strictement en aplat, comme le dessin des dentelles et des fleurs, qu'elles appartiennent aux arbres, à des bouquets ou au canapé.

La « damoiselle élue »

À partir des fiançailles de 1891, la figure de Marthe est au centre de la peinture de Denis. Réelle et « symbolisée », par un processus typique de la démarche nabie, mais sur un sujet propre à l'artiste. Si les dessins la surprennent dans les activités quotidiennes (d'art, pour une part : la décoration de céramiques ou la peinture des cadres ornementés de l'époux), la maîtresse de maison devient dans les tableaux une sainte Marthe à la cuisine. Elle prête son visage aux héroïnes de théâtre ou de poésie : elle est la Belle Endormie de Gabriel Trarieux, le sommeil favorisant l'étude du développement en arabesques de « la rondeur puérile de ses bras » ou de la finesse des doigts ; ou encore la mise en aplat du profil si pur, et la description des bouclettes de cheveux qui enchaînent avec les semis de fleurettes.
Les « Notes picturales du voyage de Noces », en 1893 dans le *Journal*, tirent de cette présence un programme de travail qui pourrait couvrir jusqu'à la fin du siècle.

Marthe rayonne particulièrement dans l'un des tableaux les plus ambitieux du peintre, les grandes *Muses* de 1893, exposé aux Indépendants et vendu d'emblée à l'ami Arthur Fontaine, puis premier achat de l'État, dès 1899. La figure de Marthe, donnée au premier plan sous forme trinitaire, s'y démultiplie ensuite au fil d'un parcours zigzaguant entre les arbres, dans une composition qui rend un hommage explicite à Puvis de Chavannes (celui du panneau central de l'escalier du musée des Beaux-Arts de Lyon), pour finalement arriver au fond et au centre à une paradoxale dixième figure, placée dans une lumière irréelle : Marthe est bien la « dixième Muse » en effet, celle qui inspire toutes les autres, jusqu'à ses sœurs du premier plan, occupées au dessin ou à la lecture. Ni une allégorie, ni l'évocation d'un autre monde, comme le feraient les « peintres de l'âme » et ceux qui exposent aux Salons de la Rose-Croix du Sâr Péladan (fondés en 1892 : Denis, comme Puvis, refusera d'y participer), mais une scène transfigurée de la vie de tous les jours, dans un cadre réel (celui de la terrasse plantée d'arbres de Saint-Germain-en-Laye). « L'Art est la sanctification de la nature, de cette nature de tout le monde, qui se contente de vivre » : le tableau de 1893 traduit presque littéralement, avec cette scène à la fois symbolique et familière, la vérité de cette autre formule clé de l'article de 1890. Et la figure du fond, le bras levé vers le ciel (encore un leitmotiv), y est bien la « damoiselle élue » du peintre.

Marthe à la cuisine (ci-dessous), c'est nécessairement une « sainte Marthe », avec ici la préparation du poisson, mets particulièrement approprié pour la venue du Christ, que l'on aperçoit au fond. Mais c'est aussi l'évocation d'un intérieur intime et rustique, où la vaisselle, le dressoir et le costume de l'autre servante renvoient à la Bretagne, terre d'élection du peintre pour son traditionalisme, bien différent de la sauvagerie qu'y recherchait Gauguin.

Si Marthe se démultiplie dans *Les Muses* (à gauche), elle paraît célébrée seule dans ce tableau de 1892 (ci-contre), avec, sur le pot de fleur, le visage de Denis, adorateur modeste. Pourtant, la figure que l'on aperçoit entre les balustres, c'est encore elle, telle qu'elle ornait l'*Éventail des fiançailles*, en 1891. Dans ce *Portrait dans un décor de soir*, le personnage s'intègre totalement au « décor », par l'ornement sinueux comme par l'aplat du vêtement, seuls le visage et la main étant modelés : la formule même de Klimt, plus tard. Quant au cadre peint – préoccupation d'époque –, il annonce une extension de la nouvelle esthétique à l'ensemble de l'environnement : il s'agit bien d'une œuvre pionnière de l'Art nouveau. Denis reprendra l'image pour une des lithographies d'*Amour*, publié en 1899 par Vollard. Le titre alors donné, *Les crépuscules ont une douceur d'ancienne peinture*, renvoie à la fois à une phrase du *Journal*, au temps des « Amours de Marthe », et à ce tableau : sept ans plus tard, l'« ancienne peinture » n'avait rien perdu de sa douceur, non plus que l'amour dont elle était l'émanation.

Debussy, Maeterlinck et Mallarmé

Que Denis ait illustré la même année la partition de Debussy portant le titre de *Damoiselle élue* n'est donc pas pour surprendre : même si sa lithographie reprend quelques éléments du poème de Dante Gabriele Rossetti dans son iconographie, elle glorifie avant tout la figure de Marthe. Comme la lithographie célébrant le *Pelléas et Mélisande* de Maeterlinck, créé par l'ami Lugné-Poe le 17 mai 1893, et conduisant peu après Debussy à composer son opéra : Marthe y prête ses traits à Mélisande, en figure centrale du premier plan, renvoyant au fond, pour l'exorciser sans doute, l'assassinat de Pelléas par Golaud. C'est donc Marthe aussi qui a introduit Denis à l'univers musical, désormais donnée majeure de la vie du peintre, et de sa façon de sentir surtout. L'origine spirituelle, « symbolique », s'en trouve dans la *Marthe au piano* de 1891, qui réunit la fiancée, l'instrument, et Maeterlinck précisément, dont *La Princesse Maleine* (autre titre de ce tableau), lue en commun pendant cette période, a nourri l'émotion amoureuse. La musique (Marthe, comme sa sœur Éva, est pianiste en effet) s'y incarne dans cette partition mystérieuse posée sur le pupitre (il n'y a pas de menuet dans la pièce, et la partition supposée d'un autre ami musicien, Pierre Hermant, reste introuvable) : ce qui compte seulement, pour le peintre, c'est en effet le dédoublement de la figure de la fiancée en ces deux personnages féminins complémentaires qui vont constituer un autre des leitmotive de son œuvre, l'un penché vers le sol, occupé à une tâche de la vie active – la cueillette des fleurs par exemple –, l'autre, d'une nudité tout de spiritualité, dressé vers le ciel…

Maeterlinck joue pour Denis le même rôle que plus tard pour Kandinsky, faisant valoir la résonance du mot, indépendamment du sens, comme il y a résonance du motif pictural ou musical. Le visage de Marthe éveille sans fin d'autres harmonies. Dans la lithographie pour *Pelléas* (ci-dessus), il prévient la menace qui plane sur tout amour. Dans *La Princesse Maleine* ou *Marthe au piano* (page de droite), il se projette dans le « Menuet » placé à sa hauteur, indiquant le programme de la « danse de vie » à venir.

À partir de là, comme très souvent chez Denis, se tisse un réseau riche et serré de correspondances

entre les données de la vie réelle et celles de la vie d'art. Par l'intermédiaire d'Henry Lerolle, peintre musicien (et bientôt ami et collectionneur de ses œuvres) dont il fréquente très tôt le salon, il est introduit dans le cercle des élèves de César Franck : Ernest Chausson sera l'un des plus proches, dont la mort accidentelle en 1899 est un véritable drame ; Vincent d'Indy prendra le relais, pour une communauté d'action et de pensée prolongée, les contacts avec Debussy restant sans doute plus épisodiques. Sans compter maints autres noms, dont le plus discret, André Rossignol, qui introduit pourtant – par une partition modeste sur son poème *Apparition*, illustrée par Denis – à Mallarmé, le vrai maître du symbole, dont sa récente définition pourrait aussi convenir au peintre (« évoquer petit à petit un objet pour montrer un état d'âme, ou, inversement, choisir un objet et en dégager un état d'âme, par une série de déchiffrements », 1891). Cette même année 1894, *Petit Air*, qui reprend le « petit nu » de *La Princesse Maleine*, a l'honneur d'une autographie du poème homologue de l'écrivain.
De Marthe à Maleine, de Maeterlinck à Debussy et à Mallarmé : tout Denis est dans lc dévcloppcmcnt de cette harmonieuse constellation.

« L'étrange bonté de ses yeux », écrit Denis dans son *Journal*, le 15 octobre 1891 : à partir des mains effleurant le piano, le réseau d'arabesques du portrait (ci-dessous) conduit le regard vers le tracé sinueux du chemin, sur la partition.

En 1892, dans la *Procession pascale* (ci-contre), sur la terrasse de Saint-Germain-en-Laye spiritualisée par la procession des communiantes et les gestes d'élévation et d'agenouillement, les frondaisons ne sont que projection abstraite, anticipant les ornements de l'Art nouveau; dans les *Régates à Perros-Guirec* (ci-dessous), les sinuosités des flots, développées dans le plan, contaminent le mât, totem célébrant une invisible et rassurante présence: « consolation d'un rêve rasséréňant et doux », écrit alors Roger Marx, acheteur du premier de ces deux tableaux.

La fabrique des belles icônes

À l'automne de 1892, Ranson écrit de Denis, à Verkade: « Il aime, il adore, et icônifie avec rage, et dans chaque icône le doux visage de sa bien-aimée rayonne amoureusement. » On connaît les surnoms des nabis, rapportés plus tard par Verkade. Celui de Denis, « Nabi aux belles icônes », est pleinement justifié. « Je crois que la Vision sans l'Esprit est vaine; et que c'est la mission de l'esthète d'ériger les choses en immarcescibles icônes », écrivait le jeune peintre dans son *Journal*, en janvier 1889. Trois ans plus tard, c'est chose faite. Qu'elle soit à sujet sacré ou à sujet profane, chacune de ses œuvres est refermée sur elle-même, scellant en son sein l'objet d'adoration. Avec une diversité de procédés mise au point pendant ces premières années: vermiculures par exemple, qui passent d'un motif à l'autre, assurant l'homogénéité de la surface, « marquage » des arbres, qui les déréalise, ou encore cette signature en monogramme: *MAVD*, qui est en effet comme un sceau. Adoration n'est pas bigoterie.

L'icône a une dimension théorique, qui assure sa pérennité, inscrivant dans le visible l'essence même de l'invisible, l'amour, la foi.

ANDRÉ GIDE — MAURICE DENIS

C'est la raison profonde sans doute d'un nouveau rapprochement, cette fois avec Gide, aboutissant en 1893 à la publication d'un livre réalisé avec lui : *Le Voyage d'Urien*. L'écrivain est alors lui aussi en pleine phase de réflexion théorique. « Me comprendrez-vous si je dis que le manifeste vaut l'émotion, intégralement ? [...] l'un est l'équivalent de l'autre. Qui dit émotion dira donc paysage ; et qui dit paysage devra donc connaître émotion », écrit-il dans

— 32 —

matinal des montagnes. Nous en bûmes, et une allégresse séraphique nous ravit; nous y avons trempé nos mains; nous en avons mouillé

nos paupières; elle a lavé la chaleur des fièvres et sa délicate vertu a

Voyage d'Urien

la préface à la réédition de son texte, en 1894, avec le vocabulaire et les idées mêmes du peintre (« De la toile elle-même, surface plane enduite de couleurs, jaillit l'émotion, amère ou consolante... » disait Denis dans l'article de 1890). Dans les trente lithographies d'*Urien*, les données du texte sont bien là, mais pour donner lieu à des images autonomes, qui viennent tout autant de l'univers de Denis : « Du reste inutile de vous parler de la genèse de cette illustration. Vous la saurez après », écrivait-il à Gide, le 11 août 1892. Plus encore qu'un travail « en commun », c'est un travail « en parallèle », constituant, à ce titre aussi, le premier livre de peintre de l'époque moderne. La même année 1893, Denis donne une grande lithographie en couleur, qui résume cette signification. « La Madeleine », selon le titre d'abord prévu, renvoie sans doute à l'Évangile.

En page de titre du *Voyage d'Urien* (ci-contre), l'éditeur Bailly a mis les noms des auteurs sur le même plan : c'est en effet une navigation de conserve, où chacun développe ses thèmes propres, à partir d'une tonalité résumée par la couleur différente de chacune des trois parties. Dans la première, la sixième escale des héros (ci-dessus) permet à Denis de rendre hommage au *Pauvre pêcheur* de Puvis (1881), tout en citant sa propre peinture : le mât orné de la barque est celui des *Régates à Perros-Guirec* (page de gauche), tandis que la mer se déploie semblablement en virgules, dans la verticalité.

Sacré et profane : l'opposition pour Denis n'existe pas. Le *Paysage de Loctudy* (page de gauche) est une cueillette, associée naguère au chemin de la vie (sur la partition de *Marthe au piano*, par exemple). Son semis de fleurs est un parterre d'étoiles, manifestant, tout comme les ocelles des troncs, la présence des signes parmi nous : il se prolonge dans la prairie du *Sacré-Cœur crucifié* (ci-contre), tapis sombre d'une douceur nocturne, où le bois des arbres et leur élancement deviennent naturellement ceux de la Croix, prolongée par l'architecture dépouillée qui ouvre sur Paris et abrite la célébration eucharistique. Avec cet étirement des corps qui correspond aux éléments du décor, Denis prend le contre-pied des représentations naturalistes où le Christ « semble sortir de la toile et nous présenter, avec de vraies mains, l'horreur d'un authentique et sanguinolent viscère » (1896) : ici, seul compte l'éclat du jaune qui essaime à la pointe des cierges pour dessiner l'image du triangle de la divinité.

Mais la forme suggère des échos sans fin : voile de Véronique incrusté dans la page (avec le *pattern* répétitif, qui, partant du dessin de la manche essaime à l'intérieur puis à l'extérieur du cadre), et essence même de la « Tendresse », titre postérieur de l'œuvre, pour cette Madeleine qui est aussi bien, l'année de son mariage, Marthe accueillant le peintre sur son épaule. Icône « amère ou consolante », qui par son degré d'abstraction constitue aussi l'un des points les plus avancés de l'art contemporain.

Suivant une tradition illustrée par *Le Concert champêtre* de Titien ou le *Déjeuner sur l'herbe* de Manet, *Soir trinitaire* (ci-dessus) – avec son parc en manière de tapisserie, ouvert sur le viaduc de Saint-Germain-en-Laye – cite les trois jeunes filles au bord de la mer de Puvis. Il célèbre aussi l'amour double peint par Titien : sacré (nu) et profane (habillé), qui ne fait plus qu'un lorsque Marthe est seule en son jardin (page de droite).

Amour sacré, amour profane

Peinture religieuse et peinture profane se partagent alors à peu près également l'œuvre de Denis, et l'on n'en sera pas surpris chez celui qui se voulait dès l'origine « peintre chrétien ». On ne saurait encore moins lui en faire grief, là où l'on n'a rien à objecter à ce sujet chez Rubens, Poussin, ou a fortiori l'Angelico. Elles relèvent naturellement chez lui de la même conception : l'amour de Dieu ne peut s'incarner qu'en célébrant les moyens et outils de la création (Gauguin, en 1888 : « monter vers Dieu en faisant comme notre Divin Maître, créer »), celui des créatures relève nécessairement du sacré. En 1891, *Soir trinitaire*, l'une des compositions les plus raffinées consacrées à la beauté féminine, donne un bon exemple de cette conception « trinitaire » qui, si elle dérive ici d'un poème passablement confus d'Adolphe Retté, s'enrichit évidemment de cette trinité, tout en rendant hommage, sur le plan formel, aux trois *Jeunes filles au bord de la mer* de Puvis (1879), une œuvre qui a durablement marqué à la rétrospective de 1887.

L'année suivante, le Titien de *L'Amour sacré et l'Amour profane* de la galerie Borghèse est à l'arrière-plan de la fascinante *Dame au jardin clos*. Denis réunit ces deux figures en une seule et même personne – Marthe, naturellement –, avec le relais de *L'Espérance* de 1872 de Puvis. Le tableau fait du même coup pivot entre les deux domaines. À l'arrière-plan, le croisé (Denis lui-même – « Et voici qu'il revient, et son cœur encore est jeune. Le chevalier n'est pas mort à la croisade », écrivait le peintre dans son *Journal* au temps des fiançailles, le 23 octobre 1891) se hâte vers la porte du « *hortus conclusus* », le jardin clos où rayonne le chaste nu de la princesse qui lui est promise. Redon parlait en 1888 d'« un monde imaginaire créé par le peintre, où se meut et s'épand la beauté qui jamais n'engendra l'impudeur, mais défère au contraire à toute la nudité un attrait pur qui ne nous abaisse pas ». Denis a ainsi trouvé ses deux héros, pour une suite éblouissante d'œuvres sur le thème du chevalier et de la princesse. Bien loin du médiévalisme archéologisant de la période, dans un

L'icône peut-être la plus étonnante de Denis est une estampe publiée en 1893, sans titre, dans la toute nouvelle *Estampe originale*, et dont les intitulés postérieurs soulignent la volontaire équivoque (ci-dessus) : une Madeleine – selon une appellation de Denis même qui, pourtant, parlera plus tard de pietà –, mais dans un geste d'affection familier qui n'est pas dans l'Évangile, et envers un Christ qui serait alors aussi le peintre, demandant toujours à être consolé par sa muse. Une image d'un haut degré d'abstraction où le message passe tout entier dans cette adhésion de la double silhouette, soulignée par l'ombre, à la surface de la feuille : à cette date, peu d'œuvres ont atteint une si pure et si dense concentration de la forme expressive.

jardin d'Éden, ils sont toujours promis à se rejoindre au terme d'un parcours initiatique, après avoir triomphé des obstacles du mal incarné par un dragon de légende. Une thématique qui inspirera plus tard Kandinsky, avec la même signification sous-jacente de la lutte pour le triomphe du spirituel dans un monde dominé par le matérialisme.

Aux marges de l'Art nouveau

Cette ferveur amoureuse appelle une extension à l'ensemble du cadre de vie. Le milieu des années 1890 voit en effet Denis se tourner vers les arts décoratifs. Mais l'application de l'esthétique nabie aux arts du décor n'est pas chez lui, comme chez d'autres nabis, une simple et logique extension de l'activité picturale, préludant aux conquêtes de l'Art nouveau dont elle anticipe de fait les formes : elle a d'abord la signification d'une spiritualisation de la vie quotidienne – pour Denis, celle du noyau familial –, comme l'indique l'association aux objets choisis – papiers peints, vitraux, tapisseries, paravent, abat-jour, éventails... – de thèmes qui lui sont tout à fait propres. Cette clôture sur le « foyer » est en un sens aux antipodes de ce que sera le projet social, et la volonté totalisatrice des principaux maîtres de l'Art nouveau : un Henry Van de Velde par exemple, fortement marqué pourtant par les œuvres de Denis vues à la Libre Esthétique. Cette activité ne connaîtra d'ailleurs aucun succès n i vrai prolongement sur le marché de l'art. Ce qui « s'épand » chez Denis, c'est d'abord un ornement, mais comme une flammèche venue d'un cœur ardent.

L'œuvre emblématique à cet égard pourrait être les célèbres *Bateaux roses* de 1895 : parmi une série de projets non réalisés (ils apparaissent sur le programme de son exposition chez Le Barc de Boutteville en 1893), un papier peint, tout utilitaire donc, et en principe destiné à tous. Mais un motif qui vient de l'expérience du peintre (les « Notes

Les quatre cartons de vitraux projetés par Denis en 1894 pour répondre à une commande de Siegfried Bing (un seul a été réalisé, aujourd'hui perdu) comptent parmi son plus séduisant travail en ce domaine avant 1900. Dans les *Femmes au ruisseau* (ci-dessus), il développe et structure la partition de la *Marthe au piano* de 1891, ajoutant trois cygnes dérivés de ceux qui figurent sur l'*Éventail des fiançailles*, peint la même année : le réseau qui tourne autour de Marthe est toujours aussi serré.

picturales du voyage de Noces », en 1893 à Perros-Guirec, indiquent : « Pour le papier peint. – des méandres et reflets d'eau, vert et blanc, comme dans la mer, près du canot. ») et une arabesque qui balance les barques sur les vagues comme on fait d'un berceau : promesse de naissance dans le foyer conjugal. Les beaux projets de vitraux contemporains reprennent de même la thématique du « Chemin de la vie » (titre du vitrail effectivement réalisé l'année suivante pour le baron Cochin), avec notamment la figure féminine double, « active » et « contemplative », apparue sur la partition de *Marthe au piano* en 1891. Et le seul paravent réalisé, à usage personnel, inscrit doublement le couple (Marthe gravant sur un arbre le monogramme de Denis !), avec des colombes

Comme ceux de Bonnard et de Vuillard, le paravent de Denis (ci-contre), lié à ses travaux pour Bing, doit à l'exemple des Japonais. Mais il reste, comme le papier peint des *Bateaux roses* (ci-dessus), fidèle à une thématique toute personnelle. Le peintre utilise habilement le pliage des feuilles et le plan redressé pour varier le motif de la barrière aux lattes croisées de la *Réponse de la bergère* de 1892 et pour évoquer la figure de la jeune épouse, près de la fontaine aux colombes – oiseau amoureux du Cantique des cantiques –, dans l'apothéose d'une lumière de printemps.

palpitantes à la fontaine de vie, dans le décor de parc, où la barrière en treillis rappelle les obstacles qu'il a fallu surmonter pour ce rapprochement, là où les œuvres similaires de Bonnard ou de Vuillard portent un regard amusé, ironique ou scrutateur sur le monde.

Arabesques pour une chambre et un plafond

Il est un domaine pourtant où cette activité trouve un prolongement riche d'avenir : le décor mural. On ne sera pas surpris que Denis commence « par en haut » : par les plafonds. En 1894, la première des trois réalisations à ce titre pour Chausson, *Avril*, adopte la forme parfaite et toute spirituelle du *tondo* – et il s'agit en effet d'un ciel. Des figures volantes célèbrent de fait une « ascension », en cette lumière claire de printemps : c'est autant celle de Denis, qui reprend ici le motif du programme de son exposition de 1893. « Pour un plafond : ô ces voix d'enfants chantant dans la coupole », écrivait-il en 1893 dans les « Notes du voyage de Noces », citant Verlaine (« Parsifal », dans le recueil *Amour*, 1892). Nous sommes revenus au couple du peintre, et doublement à la musique, avec Wagner et Chausson ! C'est la musique encore qui commande la réalisation majeure de cette période. Si le projet complet de chambre à coucher figure à l'ouverture du *Salon de l'Art nouveau* de Siegfried Bing, en décembre 1895, mobilier compris, la frise placée en bordure de plafond s'y développe indépendamment :

Denis a rencontré Chausson chez Henry Lerolle, le beau-père du compositeur, en 1893. C'est le début d'une étroite amitié – étendue à sa famille, et marquée notamment par un séjour commun à Fiesole en 1897 –, jusqu'à la mort tragique du compositeur, en 1899. Le premier plafond pour l'hôtel particulier du boulevard de Courcelles (ci-dessus) ravira son propriétaire : avec au total seize œuvres diverses, Chausson est l'un des plus actifs collectionneurs de Denis pendant cette période.

L'Amour et la vie d'une femme adopte même le titre original allemand du célèbre cycle de lieder de Schumann.

D'une seule femme : Marthe, allant jusqu'à évoquer la naissance de l'enfant présagée par *Les Bateaux roses*, mais dans le contraste saisissant d'un bleu crépusculaire (un premier fils est mort en bas âge, au début de l'année). Au fil de l'histoire compliquée de ces sept panneaux dispersés, refaits et complétés, la frise accompagnera finalement Denis dans ses différents domiciles, jusqu'à l'apparition même de la seconde épouse, au début des années 1920 : un viatique presque plus qu'un décor.

Le premier plafond, dans l'ordre chronologique (pour Lerolle), résume la portée de l'entreprise, pendant la période nabie : disposées sur une échelle comme des notes sur une portée musicale, les quatre figures des *Arabesques poétiques pour la décoration d'un plafond*, selon le beau titre original de 1892, sont tournées aux quatre vents de l'esprit. Si les volutes insistantes de leurs robes anticipent directement les revêtements muraux de Guimard pour son castel Béranger, en 1895-1898, elles refusent aussi de s'ancrer dans une architecture, dont les isole le cadre orné par la main de Marthe.

Le peintre Henry Lerolle, sur lequel Maurice Denis écrira un précieux livre en 1932, découvre ce dernier en 1891 : il achète *Soir trinitaire* en 1892. Denis fréquente son salon où il rencontre notamment les disciples de César Franck, et s'enchante de ses deux filles, Christine et Yvonne, donnant de la seconde, en 1897, un archétype du portrait symboliste. C'est peut-être à elle, autant qu'à Marthe, que renvoie le plafond de 1892 (ci-dessous), animé d'un souffle tout spirituel.

Au-delà de l'époque nabie

En ces cinq années, Denis aura réussi, magistralement, sa percée. Il est presque temps d'abandonner le groupe des nabis – le groupe, pas les amis, auxquels il restera toujours fidèle.

En avril 1895, la préface à la IXe Exposition de Le Barc de Boutteville paraît prendre congé, parlant au passé de leur entreprise, pour citer et compléter l'article fondateur de 1890 : « Ils ont préféré dans leurs œuvres l'expression par le décor, par cet assemblage esthétique de formes et de couleurs, par la matière employée, à l'expression par le sujet. Ils ont pensé qu'il existait à toute émotion, à toute pensée humaine, un équivalent plastique, décoratif, une beauté correspondante. »

C'est que pour Denis, la vie a pris encore un autre poids. Les décors ont suscité à leur tour le réel : après la mort du premier, un second enfant est attendu, en juin 1896 (Noële) ; les autres suivront en 1899 (Bernadette), 1901 (Anne-Marie), 1906 (Madeleine), 1909 (Dominique), 1915 (François). L'enfant roi entre ainsi dans l'existence et la peinture de Denis pour y occuper une place centrale, et avec lui les maternités, la Vierge, et le Raphaël tant admiré des débuts. Les enfants et l'âge d'or qui leur est lié, selon le mot de Novalis (« Là où il y a des enfants, il y a un âge d'or »), n'impliquant plus le même « prophétisme » : c'est d'une certaine manière aussi la fin du rêve nabi. En 1897, le décor du bureau du baron Cochin revient

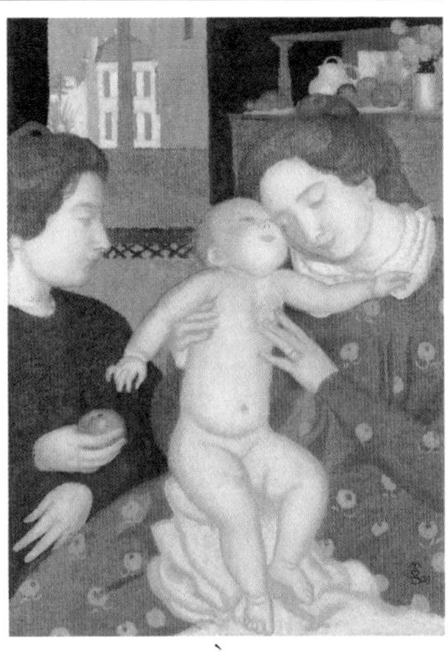

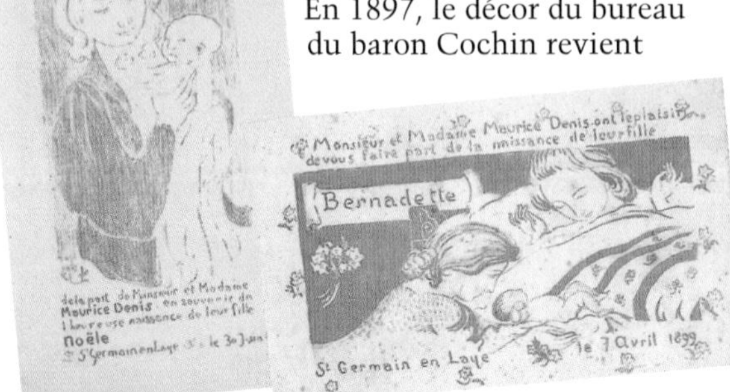

À la naissance des enfants, pour laquelle Denis lithographie lui-même les faire-part (à gauche, ceux de Bernadette et de Noële), famille sainte et Sainte Famille se superposent sans peine dans son œuvre. En 1897, la *Maternité à la pomme* (ci-dessus), qui met en scène Noële, Marthe et sa sœur Eva, se situe entre les Vierges de Botticelli et celles de Raphaël. Enfant préfigurant classiquement la Crucifixion par le geste des bras, mais devant le paysage familier de Saint-Germain-en-Laye, avec, sur le buffet, le plateau de l'*Allégorie mystique* de 1892 : vie active et vie contemplative convergent maintenant vers le nouveau-né.

aux références italiennes, pour dérouler aux murs une version moderne du *Cortège des Rois Mages* de Benozzo Gozzoli à la chapelle du palais Médicis à Florence : tout le symbole d'une réussite dans le siècle ! Mais fort peu « symboliste » en revanche, avec cette représentation d'une chasse « à la poursuite de l'idée autant que de la bête », comme dit le baron : elle culmine, au centre, dans la vision de saint Hubert, et s'achève sur le seuil de la chapelle, devant l'évêque, par un opportun retour d'orthodoxie. La même année, Denis peut conclure, après en avoir abandonné une première version encore nabie, par son double portrait du *Dessert au jardin :* amoureux, mais serein, dans une lumière du soir qui n'a plus rien d'un lugubre crépuscule ; classique déjà par sa composition stable, équilibrée, croisant les diagonales sur la rose offerte noblement à sa compagne.

Sur le balcon de la villa Montrouge (Saint-Germain-en-Laye), au jardin clos par un espalier – qui revient ailleurs comme un leitmotiv –, Denis achève le parcours de ses années nabies par une œuvre qui est toujours un hommage à l'épouse (ci-dessus), mais qui annonce aussi, par la nature morte de la table, son plan redressé, ses fruits et son couteau de biais, l'*Hommage à Cézanne*, peint en 1900, et la nature morte qui y figure, au centre, sur un chevalet.

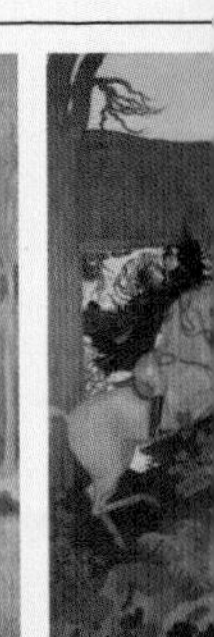

Commandée en 1895 par le baron Cochin et achevée en 1897, *La Légende de saint-Hubert* est la plus grande décoration de Denis à cette date. Pour ce travail de longue haleine, le peintre interroge Primatice, les Vénitiens, Poussin, Delacroix, sans oublier Puvis. La puissante conception d'ensemble, dans l'espace étroit d'un bureau, annonce ce qui sera le virage classique de l'année suivante, à Rome. Mais ce n'est pas qu'un exercice de style : le panneau central est bien celui du miracle, et Denis y participe pleinement, se représentant, avec Marthe, dans le cinquième (Cochin figure dans les premier et dernier, avec sa famille). En janvier 1907, la célébration de la messe dans cette pièce par Monseigneur Richard, expulsé de l'archevêché de Paris, donnera tout son poids à ce décor d'une demeure privée où le bureau pouvait faire office de chapelle.

« L'esthétique classique nous offre à la fois une méthode de penser et une méthode de vouloir; une morale en même temps qu'une psychologie. [...] La tradition classique tout entière, pour la logique de l'effort et la grandeur des résultats, est en quelque façon parallèle à la Tradition religieuse de l'Humanité. »

Maurice Denis, « Les arts à Rome, ou la méthode classique », 1898 (publié en 1899), repris dans *Théories*, 1912

CHAPITRE 3

VERS UN NOUVEL ORDRE CLASSIQUE

En 1899, devant son *Virginal printemps*, c'est un Denis souriant, mais combatif qui s'apprête à affronter le nouveau siècle (ci-contre). L'année précédente, son *Monotone verger* (page de gauche) expose ses ambitions: la maternité y est transposée dans un jardin d'Éden où figurent Adam et Ève, et le paysage de Perros-Guirec y acquiert une ampleur monumentale, et une dimension d'éternité.

Nouveaux manifestes

1898 marque un tournant important. Le peintre est à Rome, pour la première fois, en janvier. C'est, proprement, une révélation. Raphaël – dont Denis a toujours admiré les Madones – est présent surtout par les Chambres du Vatican, et tout autant Michel-Ange, à la Sixtine : soit le grand décor mural, et son ambition. Par une coïncidence remarquable, Gide est aussi sur place, partageant le même sentiment d'une nécessaire réforme de la sensibilité symboliste. Vuillard, resté à Paris, reçoit par lettres le résultat de ces échanges, et répond : ami si différent par sa personnalité, si peu sûr de lui là où Denis est toujours conquérant, mais qui permet du même coup de très efficaces rebonds de réflexion.

Cet étrange dialogue à trois débouche sur une vigoureuse remise en cause des principes antérieurs. Ce qui est condamné : le culte de la sensation, de l'immédiate transcription des émotions personnelles, d'un soi trop complaisant, qui constitue pour une bonne part le fond de l'esthétique nabie. Ce qui est maintenant revendiqué : la volonté (« On ne peut mieux qu'à Rome comprendre qu'une

❝Sous les chênes verts de la villa Pamphili […], ou bien auprès de cette admirable vasque toujours environnée d'une ombre adoucie, la fontaine de Corot, devant la villa Médicis – ah ! confronter là nos théories impressionnistes et les méthodes classiques, quelle exaltation ! On se sent envahir par je ne sais quelle sérénité, on entrevoit la vie sérieuse que sont venus chercher, dans cet asile de la Beauté traditionnelle, des hommes comme Poussin, le Lorrain, Ingres, Corot […]. On démêle une sorte de parenté entre des talents si divers : le même art conscient et réfléchi.❞

Denis, « Les arts à Rome ou la méthode classique », 1898

œuvre d'art n'a d'importance qu'autant qu'elle est l'effet d'une volonté réfléchie »), le travail patient, la mesure, l'ordre, la grandeur, la recherche du style. L'écrivain aide à la conceptualisation (« Le style, système de subordinations », dit Gide), qui s'effectue dans une longue conversation, le 6 février. Les lettres échangées avec Vuillard alignent les formules percutantes, avec le point de vue d'un moraliste chrétien : « Je songe à l'expression *style châtié*, un demi-calembour qui donne bien l'idée d'une pénitence perpétuelle, et j'arrive ainsi à comprendre que l'art classique est fait de sacrifice, aux dépens, si vous voulez, des dons naturels, du travail instinctif, et en faveur du raisonnement et de l'idéal. »

Dédoublant un portrait de Marthe « à la manière de Lorenzo di Credi », à Rome en cette année 1898, *Nus au crépuscule* (à gauche) réduit à deux personnages les thèmes du Jugement de Pâris ou celui des Trois Grâces chers aux classiques : les dessins préparatoires (ci-dessous) confirment le soin apporté à la conduite d'une ligne disciplinée à leur exemple.

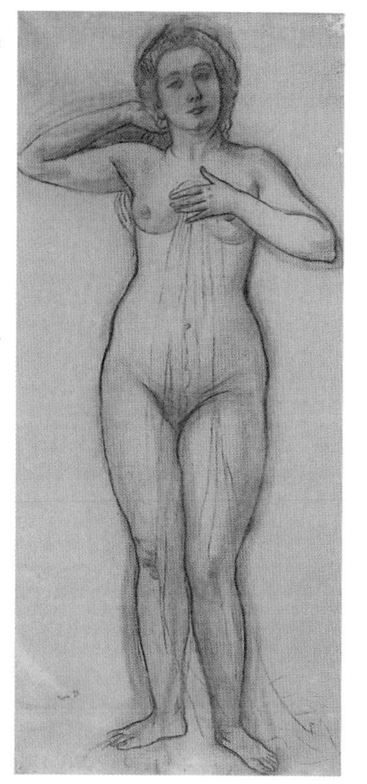

Ces discussions trouvent leur aboutissement dans un magistral article, « Les arts à Rome ou la méthode classique », dont le *Journal* annonçait déjà clairement le programme : « D'une méthode pour échapper à l'empirisme et à l'impressionnisme et concentrer sur un nombre de motifs restreints les efforts et les sensations quotidiennes. »

1898, c'est aussi l'année de la disparition simultanée de Puvis et de Gustave Moreau, « patrons » majeurs du symbolisme. Denis (non plus que Gauguin) n'aime pas Moreau, qui a engendré les bizarreries du Sâr Péladan. En revanche, Puvis, à maints titres « classique » lui-même, est à nouveau invoqué dans l'article de 1898 pour présider à cette nouvelle orientation.

L'Affaire et ses suites

1898, c'est aussi le moment où fait rage l'affaire Dreyfus, qui coupe la France en deux, monde artistique compris. Denis est à Rome, et échappe au tumulte, pour s'en féliciter dans ses lettres à Vuillard. Mais l'Affaire partage également les anciens nabis. Sans les séparer, malgré les prises de positions contraires, Denis dans un camp (comme Degas, Forain, Puvis, Renoir, Rodin…), Vuillard dans l'autre (comme Gide, Lerolle ou Carrière) : les liens d'amitié n'en souffriront pas.

Peint en 1899, le triptyque de la famille Mithouard (ci-dessous) affiche un programme iconographique très parlant : l'appartement ouvre sur l'église Saint-François-Xavier, le dernier livre, *Le Pauvre Pécheur*, est sur la table, et trois parentes incarnent sur le balcon les trois passions de l'écrivain, Musique, Poésie et Politique – l'écharpe tricolore évoquant le futur président du conseil municipal de Paris. Denis lui rendra un vibrant hommage après sa mort, en 1924 : « *L'Occident* de Mithouard, dans les années d'avant-guerre, aura redressé, rajeuni, embelli les autels de la tradition française. »

Pourtant l'événement est important sur le plan artistique aussi. Denis trouve dans les « parfums » plus sereins de Rome la confirmation du caractère nocif des « odeurs » détestables de Paris – pour citer les titres célèbres de Louis Veuillot, auteur cher à Denis. Et il transposera sur les plans philosophique et esthétique les choix qui pour lui en découlent : « L'Affaire ?… Je me réjouis des méfiances et des adresses qu'elle m'a enseignées. J'y trouve des ressources de vie active […]. Mithouard prétend

La Vierge à l'école a été peinte en novembre 1902 sous le coup de l'indignation, à l'annonce de la fermeture du collège du Vésinet, où Denis (ci-dessous) avait réalisé en 1899 sa première décoration d'église, *La Glorification de la Sainte Croix*. Après une véhémente esquisse à la colle (ci-contre), le tableau final, où le peintre inclut ses propres enfants, associe étroitement la défense de la religion et celle de la patrie privée de l'Alsace-Lorraine, comme le souligne la carte accrochée au mur.

que c'est la lutte de l'individuel contre la solidarité; et de l'impressionnisme contre les idées générales ! [...] Avec Mellerio, j'y vois aussi l'opposition entre les nerveux, les rêveurs, et d'autre part les esprits très équilibrés, et pratiques » (*Journal*, Noël 1898, passage non publié).

Les conflits et crises qui secouent ensuite la société française, jusqu'à l'expulsion des congrégations (1904) et la séparation des Églises et de l'État (1905) précipiteront les choses. Denis se rapproche alors de l'écrivain Adrien Mithouard, qui venait d'effectuer le même passage du symbolisme au classicisme, et qui dans son *Tourment de Dieu* (1901) oppose les « harmonieux » (antidreyfusards) aux « expressifs », hantés par l'injustice (dreyfusards). Le peintre sera l'un des auteurs fidèles de sa revue *L'Occident*, l'un des hauts lieux de la réflexion politique, chrétienne et nationale. En 1904, il adhère à l'Action française de Maurras, qu'il ne quittera qu'à la révélation de la condamnation du Vatican, en 1927. Ce ne sont pas les choix politiques qui ont déterminé l'évolution de sa peinture, mais, à partir du séjour romain, la convergence des effets de la réflexion esthétique et de la pression du siècle.

Visite à Cézanne

Dès la décision de réforme, Denis s'est fixé un programme, notant des sujets dans son *Journal*. « Songer à de grands tableaux où le Christ serait la figure importante. Souvenir des grandes mosaïques de Rome. Concilier l'emploi des grands moyens décoratifs et les émotions directes de nature. [...] Faire un tableau de Redon dans la boutique de Vollard, entouré de Vuillard, Bonnard, etc. » (mars 1898). Ce dernier sujet évoluera, jusqu'à l'achèvement du tableau, en 1900. Par un glissement significatif, l'hommage initialement prévu à Redon se transforme en *Hommage à Cézanne*, titre final de l'œuvre.

❝Le motif était loin, une vue de Sainte-Victoire (grande montagne pointue des environs) : il [Cézanne] y va en voiture. Nous l'avons donc vu là, dans un champ d'oliviers, en train de peindre. Je l'ai dessiné [...]. Il parle très bien, il sait ce qu'il fait, ce qu'il vaut, il est simple et très intelligent.❞

Denis à Marthe, janvier 1906

C'est qu'il faut à Denis d'autres références parmi les modernes. Puvis disparu, Gauguin ne fait plus exactement l'affaire. Cézanne lui est substitué, dans un grand effort interprétatif qui accompagne la promotion faite par Vollard, pour donner finalement de sa peinture, entre 1900 et 1907, une analyse dont nous sommes encore largement redevables à Denis. « J'ai voulu faire de l'impressionnisme quelque chose de solide et de durable comme l'art des musées » : la formule du peintre d'Aix est célèbre. Nous oublions qu'elle a été recueillie par le seul Denis, qui a fait le pèlerinage, en janvier 1906, pour

interroger directement « le Poussin de l'Impressionnisme », comme il le définira encore dans le grand article publié dans *L'Occident* l'année suivante. On voit bien par ces deux formules en quoi la chose répond à son propre programme : « Et déjà nous apparaît un des caractères du classicisme, un certain Style, un certain ordre obtenu par de la synthèse. » Tout son texte repose ainsi sur la présentation d'un Cézanne « classique » dans la mesure où il est parvenu à tenir l'équilibre, comme Poussin, entre la « sensation de nature » et le style, entre l'émotion et la réflexion, entre l'imitation et l'invention, entre l'œil et la raison. Denis avouera plus tard lui avoir fait dire ce qu'il attendait de lui. Mais Cézanne, peintre chrétien, et catholique pratiquant (« La peinture jusqu'au bout, mais il faut de la religion », autre propos rapporté par Denis), lecteur assidu de *L'Occident*, admirateur des classiques (« Ah ! le XVIIe siècle ! c'est la perfection ») venait aussi à la rencontre de son admirateur… En se mettant à son école, sur ses sujets mêmes, mais avec sa thématique propre, en théorisant son projet, Denis lui assurait du même coup un rayonnement incomparable.

Pour son grand tableau de 1900 (double page suivante), Denis étudie avec soin les portraits des amis qu'il veut y faire figurer, dont le critique Mellerio et Redon (page de gauche, en haut et en bas), Vollard et Sérusier (ci-dessus). Redon retourne l'hommage en 1903 avec une lithographie où il donne à Denis la grandeur sévère du théoricien (ci-dessous).

Matisse et Maillol

C'est aussi qu'en ces années agitées un adversaire inattendu est apparu : en 1905, Matisse et ses amis créent au tout jeune Salon d'automne l'événement que l'on sait. L'agressivité des couleurs pures des fauves, mais plus encore leur conception d'une peinture « en soi » vont à l'encontre des principes de Denis, dont le « néo-traditionnisme » de 1890 n'a jamais prétendu, on l'a vu, faire un absolu de la disposition des couleurs sur la toile.

L'*Hommage à Cézanne* frappe par l'austérité de ses noirs dominants et par son hiératisme. Mais cette galerie de portraits cache un programme complexe : de l'hommage à Redon d'abord prévu à l'hommage au peintre d'Aix, dont une nature morte, posée sur le chevalet, marque le passage du symbolisme à une nouvelle forme de classicisme, selon l'interprétation que Denis donne de Cézanne. Le choix des figurants est significatif (de gauche à droite, Redon, Vuillard, Mellerio, Vollard, Denis, Sérusier, Ranson, Roussel, Bonnard et Marthe Denis) : le noyau des anciens nabis, mais aussi un critique (Mellerio) et un marchand (Vollard), acteurs du nouveau marché de l'art. Avec le passage d'une peinture de type « ancien », sur le mur du fond (Gauguin, Renoir...) au modèle pour l'avenir : Cézanne. Denis suit ainsi la voie ouverte en 1898 à Rome avec Gide, qui est en outre l'acheteur du tableau : « Je ne puis consentir à laisser gâter ma vie par la jalousie que j'aurais contre n'importe qui posséderait cette toile [...] j'ai senti la vertu de votre tableau, et toute son importance artistique » (à Denis, 24 avril 1901).

« On se sent en plein dans le domaine de l'abstraction [...] c'est la peinture hors de toute contingence, la peinture en soi, l'acte pur de peindre... » écrit-il en novembre dans la revue *L'Ermitage*.

Denis, pour sa part, se refuse à ce que le message soit à lui seul le contenu : ce n'est pas au peintre de se choisir ses dogmes. La force percutante des toiles de Matisse ébranle pourtant ses certitudes, suscitant, en 1905 et 1906, un effort tout particulier de réflexion pour démontrer que cette entreprise relève d'un « agnosticisme » qui contredit les exigences de l'art et menace les fondements mêmes de la société. Il prend cependant en compte les procédés mêmes du peintre. Et sa palette se monte alors très sensiblement. Mais c'est pour un retour plus marqué à la nature, appuyé sur l'exemple de Cézanne, et un poids

En 1908, *Galatée* (ci-dessous) répond à *La Joie de vivre* de Matisse en 1906 (ci-dessus), citant sa ronde du second plan : plénitude de l'hédonisme d'un côté, poursuite fragile du bonheur de l'autre.

renforcé des sujets, qui se tournent maintenant vers la mythologie, pour renouer avec la tradition gréco-latine et célébrer un « humanisme chrétien ». Dans ces tableaux d'apparence profane, la présence humaine, autour de quelques grands mythes à portée universelle (la mort d'Eurydice, la rencontre de Bacchus et Ariane...), a pour fonction d'éviter ce qui serait un culte impie de la couleur, de la lumière, et de « l'acte pur de peindre ».

Sur ce terrain un nouvel allié s'est révélé : Maillol, dont la *Méditerranée*, saluée par Gide au Salon d'automne de 1905, incarne cette figure idéale de la beauté antiquisante transposée à l'époque moderne. Un texte vibrant de Denis le magnifie dans *L'Occident*, en novembre : « Comme ses femmes, son art est nu et ingénu [...]. Il joint à la vertu d'un classique l'innocence d'un Primitif. [...] En lui se concilient deux traditions successives, le Ve grec et le XIIIe chrétien, deux arts qui ont réalisé des types idéaux d'humanité, par la plénitude de la forme. » Et les figures « à la Maillol » peuplent désormais son œuvre en abondance. Cézanne et Maillol contre ce qui paraît la menace de la couleur en liberté de Matisse : en 1907, le « nouveau classicisme » a rassemblé toutes ses données constitutives.

Entre 1904 et 1907, Maillol sculpte le buste de Marthe (ci-dessous et, en bas, l'une des différentes versions) : c'est le résumé d'une conjonction exemplaire autour de la consolidation commune d'une esthétique, de multiples interférences, et d'une profonde et durable amitié.

Vers le spirituel dans l'art

À cette date, Kandinsky est à Paris (1906-1907), où il complète sa connaissance des plus récentes avant-gardes, qui nourrissent les réflexions conduisant à son premier grand livre, *Du spirituel dans l'Art* (publié à la fin de 1912). Matisse, Cézanne et Picasso, mais Maeterlinck aussi, dont l'usage spécifique qu'il fait du mot est pour lui un exemple particulièrement important, y seront analysés.

Si Denis n'est pas mentionné, les situations et les interrogations des deux artistes sont pourtant à bien des égards comparables. Dans sa marche vers ce qui lui semble une inévitable « abstraction », Kandinsky prolonge en la radicalisant la phrase initiale de l'article publié par Denis en 1890, mais pour se heurter maintenant au même problème que ce dernier devant la peinture de Matisse : les risques de la disparition du sujet, donc du sens, et la menace d'un formalisme que ses convictions lui interdisent, comme à Denis, de souhaiter. L'œuvre de ce dernier est alors bien connue, ses idées sont diffusées et ses textes traduits, en Allemagne comme en Russie. On en trouve des échos directs chez Kandinsky. Dragons et princesses, dans le monde de légende qui est alors celui de sa peinture, sont parents de ceux du Denis des années 1890 – lequel, au demeurant, les ranime à l'approche de la guerre.

Mais ce sont les analogies de fond qui comptent. Là où Kandinsky va inventer les signes plastiques d'une pseudo-abstraction (la montagne réduite au triangle, la barque à l'arc de cercle…), qui incarnent dans le corps de la peinture la lutte des forces qui se disputent le monde, présageant, après le grand cataclysme qui s'annonce, le retour du spirituel, Denis continue de célébrer les certitudes de la foi,

Denis a régulièrement tenu son « livre de raison » sous la forme d'un « carnet de dépôts et ventes » (ci-dessous), particulièrement précieux – malgré une rédaction souvent lapidaire – pour l'histoire de ses œuvres. En 1907 et 1908, on voit ainsi apparaître les travaux pour Moscou, des vases pour André Metthey, un tableau pour Mithouard, ou l'illustration de la *Vita Nova*. Un témoignage éloquent d'une activité débordante.

1907			
	200	Dessins pour la Revue	Rouché
Exp. Bernheim		La tonnelle	
	5000	Soir d'été (1er état)	Druet
		la tétée.	
	2000	Soir d'été copie	Bernheim
		le jardin fleuri	
	4000	2 répliques de Wiesbaden	Bernheim
	2000	Études de communiants	Druet
		Maternité robe grenat	
	500	Communiants à la Porte rouge	A. Jamot
		étude de joueur de flûte	

		étude femme de dos	Rihouet
	1200	6 vases	Vollard
	675	2 vases 1 plat	Methey
	1600	5 vases	Druet
		1 Dessin Vita Nova	id
		Portrait du Frère Franç. Xavier.	Société Amicale des Anciens Élèves des Frères
1908		Dessin, violoniste	Druet
	500	Enfants sur la Terrasse, Fiesole	Mithouard
		Madone au Soleil Couchant	Druet
	3500	Annonciation, Fiesole	G. Thomas

consolidées maintenant par le poids de la tradition gréco-latine, et d'une autre dimension d'éternité. Denis à Perros-Guirec (il y achète en 1908 la villa Silencio, qui sera désormais son havre d'été), Kandinsky à Murnau (sa retraite estivale, à l'écart de Munich) mènent un combat parallèle – alors que l'avant-garde s'engage sur la voie d'un formalisme triomphant –, pour la défense des « contenus » de la peinture, et des valeurs du spirituel. Chez l'un comme chez l'autre, et avec tout ce que le terme suppose de ferveur et de concentration dans son élaboration comme dans la foi qui en suscite la genèse, le tableau reste une icône, et se refuse à devenir une idole : c'est une autre tradition de la peinture du XXe siècle.

Plages rédemptrices, eau salvatrice

Pour Denis, cette prise de position par rapport aux nouvelles avant-gardes va se cristalliser dans une série qui marque l'un des apogées de son œuvre : celle des « plages ». La première est apparue en 1898, au moment même du « virage » classique : ce n'est pas une coïncidence. Avec alors une visée double : scènes de nus, aux baigneuses à la Raphaël, et christianisation de la Vénus antique, surgie des eaux. Permettant de surcroît de célébrer les enfants, et la famille, surtout après l'achat de Silencio.

Dans les années 1910, la peinture de Kandinsky se concentre sur un petit nombre de thèmes porteurs des inquiétudes croissantes du moment, propices aussi à l'invention de signes plastiques élémentaires : en particulier l'affrontement de saint Georges et du dragon, qui incarne le combat du spirituel contre le matérialisme (page de gauche, *Saint Georges I*, peint en 1911).
Sans qu'il y ait influence ni contact direct, c'est retrouver la thématique de Denis depuis les années 1890, réactivée à l'approche de la guerre comme dans son *Saint Georges aux rochers rouges* de 1910 (ci-dessus), où les chaos de Ploumanac'h sont naturellement parents des rochers très allusifs du peintre russe.

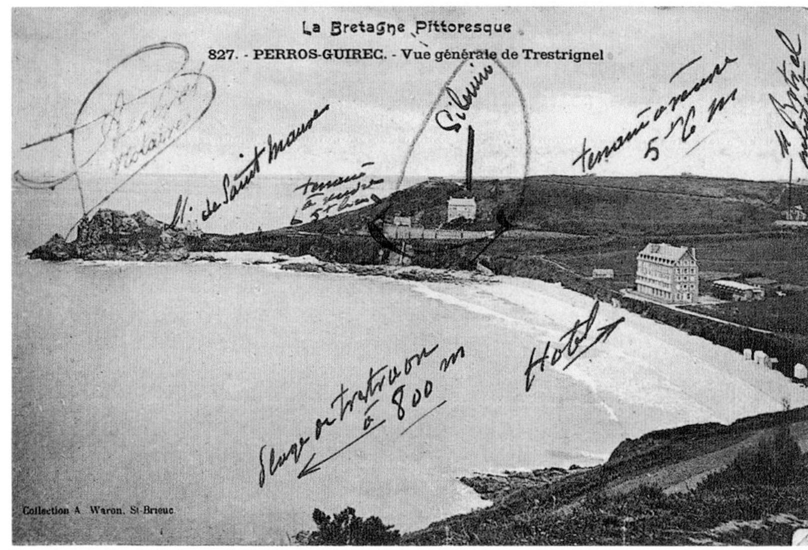

Sous le caractère apparemment anecdotique du motif, et au-delà de ce qui paraît le rattacher formellement à une riche tradition « impressionniste », ces plages sont en effet tout investies de spiritualité et de signification symbolique : illuminées de soleil et balayées d'un air fort (nous sommes en Bretagne), mais ponctuées d'autant de figures à l'antique, dans leurs poses choisies et dans des compositions soigneusement étudiées. Et elles n'ont pas pour fin le divertissement mais la lustration de ces corps nus, et dès lors sans péché.

La plage ensoleillée est particulièrement favorable aussi à l'exaltation de la couleur, pour répondre à Matisse : celle-ci y trouve autant de points d'ancrage avec les étoffes vivement striées et les oppositions brutales de la lumière et des ombres des vaguelettes du sable, comme dans le contraste de la mer et des rochers rouges. Mais elle est aussi le lieu mythologique par excellence, et l'épisode d'Ulysse et Nausicaa est plusieurs fois repris. Les dieux et les héros témoignent qu'une présence supérieure commande au sort des créatures et leur interdit l'orgueil : c'est Polyphème qui veille

“Je ne pensais guère, en vous écrivant de Bretagne il y a un mois, que ce voyage serait si décisif. Peu de jours après, mon enthousiasme s'accrochait à un écriteau : « À vendre », suspendu au mur d'une charmante villa bâtie par un élève de Viollet-le-Duc pour une actrice aujourd'hui ruinée, et dans la plus belle vue du monde – non (cela vous chagrinerait trop), mettons de Bretagne. Aujourd'hui cette maison est à moi. Ma femme et mes enfants y sont installés, je les y ai conduits au début de cette semaine. Ils sont ravis ; ils ont un bois de pins extrêmement touffu, et la plage au pied de la terrasse.”

Denis à Mme de La Laurencie, 2 août 1908

sur Galatée et la ronde dans l'eau de ses compagnons, manifestant eux aussi leur « joie de vivre »; contemporain du célèbre tableau de Matisse *La Joie de vivre*, *Eurydice* renvoie à une méditation toute chrétienne sur la mort et la résurrection.

Dans le décor de *L'Âge d'or* de 1912, dont la thématique d'ensemble résume cette philosophie, le divertissement balnéaire sert à déployer toutes les manifestations de la « vie active » et la présence, surprenante en soi, du cavalier (l'éphèbe chevauchant de la frise des *Panathénées*, avec le relais de la *Vision antique* de Puvis [1888-1889], ou des cavaliers de Gauguin sur les plages de Tahiti) y prend en effet un sens proche à nouveau de celui qu'il a chez Kandinsky : l'Âge d'or est à préserver du dragon. On serait tenté de prolonger la comparaison avec la série des « ateliers » de Matisse tout autant qu'avec celle des « baigneuses » de Cézanne : les secondes ont aidé Denis à donner la réponse aux premiers, sous la forme d'un monde classique et christianisé, qui s'oppose aux espaces « sacrés » peut-être, mais sans assez d'« âmes qui vivent », des intérieurs matissiens.

Quand Denis acquiert Silencio, Perros-Guirec est encore peu construit. Ce site exceptionnel apparaîtra sans cesse dans ses œuvres, surtout la plage (ci-dessus esquisse pour *L'Âge d'or*; ci-contre, avec Noële, vers 1898).

« Ce qui me frappe, c'est la convenance de la maison à ma vie, telle que me la font les enfants et la peinture : la plage et l'atelier. Et puis, il y a le bois, et enfin la solitude, et les plus beaux couchers de soleil. »

Journal, juin 1908

En 1911, *La Plage au petit garçon* signale un moment d'apogée de cette série. Sous l'apparente désinvolture d'un sujet de type impressionniste, la composition serrée, fondée sur le triangle isocèle de base, confirme la volonté de classicisme. Sans division de la touche, mais avec une couleur très montée, on se situe aussi dans l'après-fauvisme. La thématique, pourtant, est bien celle de Denis. Et les enfants sont les siens : Noële, Anne-Marie et Bernadette à gauche, Madeleine à droite et Dominique, le petit garçon dernier-né, au centre. L'éclatant soleil de cette « lumière de sable » permet aussi, avec le plan redressé et la répétition régulière des ombres bleues en vaguelettes, de marquer le sacré par le décoratif : une scène du « bonheur de vivre » accordé par une puissance supérieure. Comme au temps de l'époque nabie, malgré la différence des moyens, les signes sont bien parmi nous, dans l'ordre stable du monde : ni impressionniste ni fauve, un « extérieur » fervent d'intériorité.

Le bandeau qui achève l'ouvrage de l'*Imitation de Jésus-Christ* (ci-dessus), associe Denis et Tony Beltrand, le brillant graveur qui réalise ou dirige avec son fils Jacques les illustrations des livres du peintre.

Dans le jardin du livre

La période voit parallèlement une floraison toute particulière de la production d'art graphique, qui s'ouvre en 1899 avec la publication par Vollard des douze lithographies en couleur de la suite *Amour*, développant la fructueuse collaboration de l'artiste et de l'éditeur inaugurée en 1896. Elle célèbre le temps des fiançailles avec Marthe, dans l'esthétique nabie qui leur est liée et avec des titres tirés du *Journal* d'alors. Le recueil marque aussi la fin des efforts de Vollard pour relancer la lithographie en couleur. L'*Imitation de Jésus-Christ* publiée par lui en 1903, comme *Sagesse* de Verlaine en 1911, reviennent à la gravure sur bois, d'après les dessins du peintre, et remontent à deux projets également chers, menés parallèlement depuis le début des années 1890. Denis illustrateur ne reprendra lui-même la main qu'à la toute fin de sa vie.

Ces deux grands livres relèvent donc aussi de l'esthétique de la première période, même si Denis a jusqu'au dernier moment remanié et complété ses dessins. Ce qu'il devient ensuite, c'est plus un architecte du livre, un ordonnateur, dirigeant ses graveurs, qui sont des amis proches : les Beltrand, père et fils. L'article de 1890 annonçait une révolution de l'illustration du livre, et « sans exacte correspondance du sujet avec l'écriture ; mais plutôt une broderie d'arabesques sur les pages, un accompagnement de lignes expressives ». Dans les années 1900, elle n'est plus d'actualité. Si l'inspiration reste semblable, avec un fort investissement spirituel et affectif, les réalisations

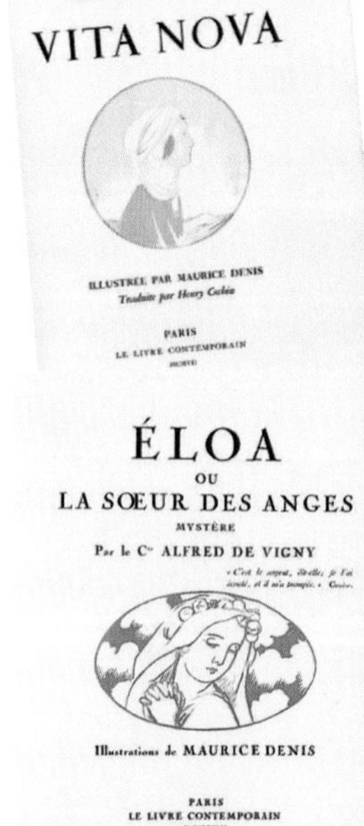

DANTE ALIGHIERI

VITA NOVA

ILLUSTRÉE PAR MAURICE DENIS
Traduite par Henry Cochin

PARIS
LE LIVRE CONTEMPORAIN

ÉLOA
OU
LA SŒUR DES ANGES
MYSTÈRE
Par le Cte ALFRED DE VIGNY

Illustrations de MAURICE DENIS

PARIS
LE LIVRE CONTEMPORAIN
MCMXVII

nouvelles, sommets du livre d'art de la période, participent pleinement de la nouvelle esthétique.

En 1907, pour la *Vita Nova* de Dante, Denis célèbre la Toscane, en reprenant parfois les petits paysages des premiers voyages, mais pour les tenir dans une armature stricte et équilibrée de frises, bandeaux, fleurons et lettres ornées, symétriques le plus souvent, autour des deux colonnes du texte et de sa traduction : paysages italiens, jardin du livre à la française… En 1913, les *Fioretti*, publiés grâce au mécénat de Gabriel Thomas, et pimpants de fleurettes en effet, marquent sans doute l'apogée de cette production. Le point d'orgue, en des circonstances dramatiques (la guerre, la maladie de Marthe), est donné en 1917 par l'*Éloa* de Vigny, d'apparence plus modeste, mais dont les bleus profonds marquent le retour à la méditation intérieure. Depuis 1900, la fabrication du livre a accompagné l'avènement du peintre décorateur, dans le même esprit classicisant.

Comment le Démon en forme de Crucifix apparut plusieurs fois à frère Rufin, lui disant qu'il perdait le bien qu'il faisait, pour ce qu'il n'était des élus de vie éternelle. De quoi saint François par révélation de Dieu fut averti, & fit reconnaître à frère Rufin l'erreur à laquelle il avait cru.

Frère Rufin, un des plus nobles hommes de la cité d'Assise, & compagnon de saint François, homme de grande sainteté, fut en temps très fortement combattu & tenté dans l'âme, sur la prédestination ; dont il demeurait tout mélancolique & triste ; pour autant que le Démon lui mettait aussi au cœur qu'il était damné, & n'était des prédestinés à la vie éternelle ; & que se perdait ce qu'il faisait dans l'Ordre. Et durant cette tentation plusieurs jours & davantage, & lui par vergogne ne la révélant à saint François, néanmoins ne laissait de faire les oraisons & les abstinences d'usage ; pourquoi l'ennemi commença de lui ajouter tristesse sur tristesse, outre la bataille du dedans, le combattant aussi du dehors avec fausses apparitions. Dont une fois lui apparut en forme de Crucifix, & lui dit : O frère Rufin, pourquoi t'affliges-tu en pénitence & en oraison, comme ainsi soit que tu n'es point des prédestinés à la vie éternelle ? & crois-moi, pour ce que je sais qui j'ai élu & prédestiné, & point ne crois au fils de Pierre Bernardone, s'il te disait le contraire, & encore ne le questionne de ce sujet-là, pour ce que ni lui ni autrui ne le sait, sinon je, qui suis le fils de Dieu : & partant me tiens pour certain que tu es du

nombre des damnés ; & le fils de Pierre Bernardone ton père, & son père aussi sont damnés ; & quiconque le suit est engeigné. Et dites ces paroles, frère Rufin commença d'être si enténébré du prince des ténèbres, que ja perdait toute foi & amour qu'il avait eu à saint François, & n'avait cure de lui en rien dire. Mais ce qu'au père saint ne dit frère Rufin, l'Esprit Saint le révéla : dont saint François, voyant en esprit un tel péril dudit frère, manda frère Massée à lui ; auquel frère Rufin répondit tout grondant : Qu'ai-je à faire avec frère François ? Et alors frère Massée, tout rempli de sagesse divine, connaissant la fallace du Démon, dit : O frère Rufin, ne sais-tu que frère François est comme un Ange de Dieu, lequel a illuminé tant d'âmes au monde, & par lequel nous avons reçu la grâce de Dieu ? dont je veux que de toute façon tu viennes à lui avec moi ; pour ce que je te vois clairement être engeigné du Démon. Et dit cela, frère Rufin se leva & alla à saint François ; & le voyant de loin saint François venir, commença de crier : O frère Rufin, petit

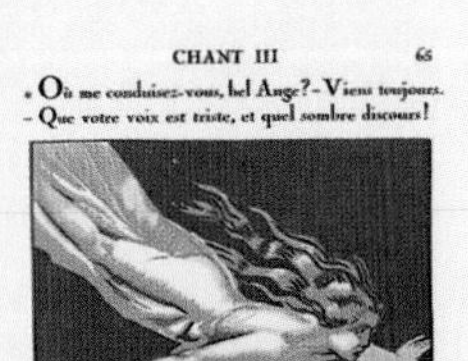

CHANT III 65

« Où me conduisez-vous, bel Ange ? – Viens toujours.
– Que votre voix est triste, et quel sombre discours !

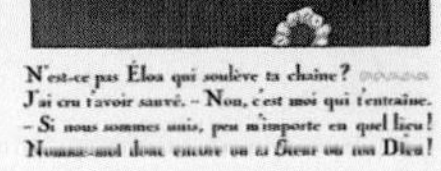

N'est-ce pas Éloa qui soulève ta chaîne ?
J'ai cru t'avoir sauvé. – Non, c'est moi qui t'entraîne.
– Si nous sommes unis, peu m'importe en quel lieu !
Nomme-moi donc encore ou ta Sœur ou ton Dieu !

Les *Fioretti de saint François d'Assise* (ci-dessus) comptent tout particulièrement pour Denis : en 1910, il entreprend, seul, un voyage d'un mois à bicyclette en Ombrie et en Toscane pour repérer les sites, et travaille au projet jusqu'en 1913. Après l'austérité du noir et blanc choisi pour *L'Imitation de Jésus-Christ*, il en résulte un livre qui renchérit encore sur les grâces de la *Vita Nova* de Dante (page de gauche), qu'avait déjà soutenu Gabriel Thomas. Les *Fioretti* débordent de la bonté du *Poverello*, semant les fleurs jusqu'entre les phrases du texte, et retrouvent la fraîcheur des impressions de jeunesse du peintre. Les vingt-quatre compositions d'*Éloa*, qui s'achève par la plongée de l'héroïne vers l'abîme (ci-contre), reviennent, elles, aux teintes unies et sombres des années de guerre.

La synthèse décorative

La maquette du plafond du Théâtre des Champs-Élysées (ci-dessous) permet d'en comprendre la conception d'ensemble, qui culmine avec Parsifal et le Graal (ici, en bas).

Là est bien l'autre tournant majeur de ce début de siècle en effet, que résumera la page rétrospective du *Journal*, le 1er janvier 1940. Denis y fait alors deux parts dans cet aspect de sa production : pour le meilleur à ses yeux, avec l'*Éternel printemps* de 1908 et le *Soir florentin* de 1910, commandes privées, la première pour Gabriel Thomas, la seconde pour Charles Stern. Et une moins bonne : « Avec Moscou et le Théâtre, période de formule et de facilité. J'ai pris à cette époque des habitudes d'atelier ; je suis devenu décorateur », renvoyant à ces deux grandes réalisations que sont l'*Histoire de Psyché* de 1908 pour le salon de musique de l'hôtel particulier d'Ivan Morozov à Moscou (elle financera l'achat de Silencio cette même année) et la coupole du Théâtre des Champs-Élysées achevée en 1912 – avec Thomas comme commanditaire. Cette page tardive du *Journal*, à l'heure des bilans, est passablement dépressive, et trop dépréciative. Il est vrai pourtant que le travail, considérable, de ces décorations (parmi une dizaine d'autres pendant ces années) marque un tournant, 1908 étant le moment charnière. L'*Éternel printemps* et *Soir florentin* prolongent les émerveillements des années de jeunesse : devant la femme, le printemps, la musique, le paysage italien...

Les deux autres décors sont très volontaristes, et accentuent, en forme de manifeste, le parti « versaillais » de ces entreprises. La coupole du Théâtre des Champs-Élysées, sur le thème ambitieux de l'histoire de la musique, est élaboré avec l'aide de Vincent d'Indy, et conclut cette vaste synthèse par le drame lyrique et la célébration du *Parsifal* wagnérien, en face d'Apollon et des Muses :

unir, une nouvelle fois, la chrétienté et l'art grec, le sacré et le profane, autour de la « gloire » de la verrière dessinée par l'architecte Auguste Perret, qui appellerait comme la présence d'un Saint Esprit… Mais pour présider à l'audition, dès la saison de 1913, des *Jeux* de Debussy et du *Sacre du printemps* de Stravinsky… le décalage est manifeste ! Et Denis vient trop tard, comme on l'a longtemps jugé… ou trop tôt, pourrait-on dire à l'inverse, préludant à l'ultime production de Claude Debussy, tournée vers le XVIIIe siècle français, et à la conversion néoclassique de l'auteur du *Sacre* après la guerre, à son *Apollon Musagète* par exemple (1929) : le « néo-classicisme » des années 1920 suit de fait, et prolonge, le « nouveau classicisme » denisien des années 1900, trop longtemps occulté.

En 1909, Denis photographie sa *Psyché* à Moscou (ci-dessus), constatant des manques : il les complétera par des panneaux intermédiaires, et quatre statues de Maillol remplaceront les chandeliers d'angle.

Les « modernistes », un certain nombre de ses admirateurs d'autrefois (Jacques Rivière par exemple), se détachent alors de Denis, lors même que c'est cette nouvelle dimension de sa peinture, appuyée par le tir en rafales des textes théoriques, qui assure le plus grand rayonnement de son œuvre à l'étranger.

Dans son second logement de Saint-Germain-en-Laye, au 59, rue de Mareil, qu'il occupe depuis 1900, Denis – ici avec Marthe et Bernadette, vers 1912 – expose ses propres tableaux (Marthe est encadrée par *Le Goûter au Pouldu* de 1900 et le *Portrait de famille* de 1902), mais aussi ses collections. Y figurent notamment Maillol, Vuillard, Van Rysselberghe (dont on voit un beau portrait de Marthe, vers 1908), Cézanne, Van Gogh et Gauguin – avec le fameux *Autoportrait au Christ jaune* –, ainsi que des œuvres d'art ancien. Une façon complémentaire de faire de la théorie.

La synthèse théorique

Denis a toujours procédé en effet de façon synthétique ou cumulative. Au moment même de la coupole des Champs-Élysées, et prolongeant l'enseignement qu'il dispense depuis 1909 à l'Académie Ranson,

THÉORIES
1890-1910
Du Symbolisme et de Gauguin vers un nouvel ordre classique

il publie ses *Théories* en y reprenant tous ses principaux textes depuis l'article initial de 1890, qui paraît pourtant bien loin. Ce n'est pas pour autant un simple « recueil ». Le livre est construit, et pas exactement dans l'ordre chronologique. Un ensemble de notices secondaires occupe le centre, tandis que les articles de poids, qui ont ponctué la constitution du nouveau classicisme, viennent en fin de parcours : le congé à Gauguin de 1903 (« L'influence de Paul Gauguin »), le rejet de Matisse en 1905, puis les textes fondateurs : « Le Soleil » de 1906 (« L'erreur des uns et des autres, notre erreur à tous, ç'a été de chercher avant tout la lumière. Il fallait chercher d'abord le royaume de Dieu et sa justice, c'est-à-dire l'expression de notre âme en Beauté, et le reste nous eût été donné par surcroît »), le Maillol de 1905, le Cézanne de 1907, en avant-dernière position, et enfin « De Gauguin et de Van Gogh au classicisme » de 1909, dont le titre seul suffirait à résumer l'orientation de l'ensemble. Comme encore le sous-titre général : « Du Symbolisme et de Gauguin vers un nouvel ordre classique ». Denis n'a véritablement rien renié. Pour lui, si bizarre que la chose puisse nous paraître aujourd'hui, Cézanne, par exemple, est encore un symboliste pour avoir rappelé que : « Le soleil est une chose qu'on ne peut pas reproduire, mais qu'on peut représenter. »

De la « réaction » néo-traditionniste de 1890 à la « réaction » cézannienne (c'est le terme employé par Denis), le parcours est donc cohérent. Pour ce redoutable rhétoricien à tout le moins. Mais la rhétorique importe peu : elle accompagne les œuvres et ne les détermine pas. Un succès public (trois rééditions, jusqu'en 1920), mais une justification d'abord pour soi, pour continuer de vivre et de créer, lors même que les périls – Matisse, Picasso, aussi bien que la guerre, la longue agonie de Marthe, bientôt l'attaque d'un œil (à partir de 1916) – sont de plus en plus menaçants.

« L'Académie Ranson est fondée. Satisfaction inattendue : d'avoir des élèves, et qui vous écoutent, et qui tirent profit, non seulement des idées qu'on leur donne, mais des mots dont on se sert pour leur parler. »
Journal, janvier 1909

« Jamais nous n'avons eu une plus belle et plus tragique occasion de manifester la vitalité du catholicisme et du génie français. L'utilisation de la victoire, c'est pour nous le devoir de rebâtir nos églises et de les parer, non à l'ancienne mode, mais avec nos moyens, avec notre sensibilité d'aujourd'hui, non avec notre érudition mais avec notre piété et notre cœur. »

Maurice Denis, « Les nouvelles directions de l'art chrétien », 1919

CHAPITRE 4

UNE SOCIÉTÉ À RECONSTRUIRE

Après la mort de Marthe, en 1919, Denis marque fermement sa volonté d'un nouveau départ : dans la société, par un engagement accentué (ci-contre) ; dans sa vie privée, par son remariage et une seconde version, en 1921, de son autoportrait de 1916, associant, sur la terrasse, ancienne et future épouse (page de gauche).

D'une chapelle à l'autre

En 1914, Denis a acquis l'ancien hôpital de Saint-Germain, dénommé par lui « le Prieuré » – aujourd'hui le musée qui lui est consacré. Le XVIIe siècle est omniprésent dans cette fondation de Mme de Montespan. Et au cœur du grand bâtiment inachevé, sa chapelle, dont l'aménagement (avec l'aide de Perret) et la décoration l'occuperont de 1915 à 1928. Avec le décor de Saint-Paul de Genève parallèlement, c'est un nouveau départ « vers le but suprême de la peinture, qui est la grande décoration murale » (1916), et en premier lieu celle des églises, avec une vingtaine de décors jusqu'à sa mort.

En 1916, l'*Autoportrait devant le Prieuré*, sous la protection du petit clocher de la chapelle (ci-dessus), contraste par sa lumière sereine avec le ton plus grave de la reprise de 1921 ; à côté des cinq autres enfants, Marthe, sur la terrasse y porte François, le dernier-né.

Ce travail laisse souvent Denis insatisfait : exécution médiocre par des assistants, sécheresse de la réalisation par rapport à des esquisses souvent brillantes, expérimentation de procédés plus ou moins satisfaisants, cadre architectural d'une qualité incertaine... Il domine pourtant la dernière période de son œuvre, la plus difficile encore à juger. Dans l'optique ancienne d'une histoire des seules avant-gardes, une voie à part, sinon à rebours. Dans celle d'aujourd'hui, un mode de participation à des tendances majeures de l'entre-deux-guerres, que l'on a appris à redécouvrir : celle de l'art militant, aussi vivant dans la France de la reconstruction qu'à Moscou ou à Berlin ; celle de l'engagement social, qui ne saurait être réservé à un réalisme « progressiste » ; celle du décor mural, qui préoccupe autant dans les églises de la banlieue parisienne qu'à Rome ou à Mexico ; celle de l'attachement renforcé à la figuration enfin, pour la perpétuation d'un art qui a pour but d'édifier, à l'exemple de Giotto et de ses élèves, dont Denis fait alors l'éloge.

Pour l'architecture en particulier, le peintre a une position moderniste trop méconnue, dont témoigne pour commencer ce monument phare du XXe siècle qu'est l'église du Raincy (1924), près de Paris, toujours citée pour l'utilisation du béton laissé à nu par Perret et sa structure audacieuse. Denis y occupe pourtant la place majoritaire, avec l'immense verrière continue de cette nouvelle Sainte-Chapelle (réalisée avec Marguerite Huré), sur laquelle repose l'effet principal. Au gré du talent inégal des architectes, avec lesquels il garde un contact étroit, il essaiera de préserver dans ces grands décors la ferveur intimiste de la chapelle du Prieuré : son dramatique *Chemin de croix* (1915) trouvera encore son écho à la chapelle de la Clarté à Perros (1931) et finalement dans l'ultime décor d'église, à Thonon, en 1943.

La grande entreprise du décor de la chapelle du Prieuré, avec fresques, statues, mobilier et vitraux (page de gauche, en bas), annonce une activité intense dans ce dernier domaine :

pour les dix grandes verrières du Raincy, Denis élabore soigneusement des maquettes à divisions strictement orthogonales, qui laissent pourtant pleinement s'épanouir les thèmes favoris de sa peinture : l'Assomption (ci-contre), en même temps qu'elle cite le Titien fameux des Frari de Venise, reprend la figure centrale du deuxième plafond pour Chausson (1896), déjà présente dans l'*Éloa* de 1917 ; l'Annonciation (ci-dessus), la composition d'un tableau de 1923 inspiré par une visite, en 1907, au couvent de San Francesco del Deserto, sur la lagune de Venise.

Nouvelles théories

« En publiant *Théories,* je commençais à avoir des doutes. J'ai reconnu depuis qu'il est absurde de vouloir, à soi tout seul, créer sa technique de peintre, comme il est absurde de s'en remettre à sa seule raison individuelle [...] pour décider du bien public et du bien particulier... » (*Journal,* janvier 1914). Ce sera donc un nouveau faisceau d'articles, réunis en 1922 dans les trois sections des *Nouvelles théories*: « Pour l'art français », « Opinions sur l'art moderne », « Pour l'art sacré ». Avec un programme liant étroitement la reconstruction sociale et le renouveau de l'art chrétien. Pour l'art sacré, l'exigence morale l'emporte: « Tout mensonge est insupportable dans le temple de vérité » (1919). Rejet du pastiche donc, vérité du matériau (le béton en particulier), vérité du procédé. « Une peinture est conforme à sa vérité, à la vérité, lorsqu'elle dit bien ce qu'elle doit dire, et qu'elle remplit son rôle ornemental. Décorative et édifiante: voilà ce que je veux avant tout qu'elle soit. »

Plus que jamais les deux choses s'identifient, et art signifie nécessairement art chrétien. « Il faut renoncer à cette sorte d'agnosticisme d'un nouveau genre qui s'attaque à la matière même de la peinture. Il faut restaurer l'objectivité »: la peinture est bien d'abord « art d'imitation » et non servante de son illusoire « pureté ». Plus concrètement encore, face à un renouveau de la menace matérialiste: « ... je rêve d'un Claudel qui ne serait pas obscur, et d'un Cézanne qui serait peintre d'histoire, comme Delacroix ».

Mission philosophique, politique et sociale, soumission au dogme, retour à la primauté du sujet, qu'il faut pourtant concilier avec l'expressivité: un chemin hérissé de périls, comme celui de peintres « engagés » dans des voies plus dangereuses encore, auxquels on a plus facilement pardonné

« Quelle place elle a tenue dans ma vie ! Je juge cela du dehors maintenant: n'est-ce pas unique ? Et quelle sensualité, avec quelle poésie ! C'est à elle que je dois d'avoir tant aimé la vie, en fondant si intimement la joie des sens et la joie intérieure, sans les opposer, sans poser, au moins dans ma peinture, le problème du mal qu'elle ne connaissait pas... »

Journal, 25 août 1919

SOUVENEZ-VOUS DANS VOS PRIÈRE DE MARTHE MAURICE-DENI

Marthe, décédée le 22 août 1919, ne peut pas être remplacée, mais la seconde épouse lui est naturellement associée. Denis connaissait déjà Lisbeth, qu'il a fait figurer sur la coupole du Théâtre des Champs-Élysées. Elle vient s'inscrire dans les mêmes œuvres – la frise de la chambre de 1895, dans sa dernière version, l'autoportrait de 1921; et dans les mêmes lieux: en 1924 sur la terrasse de Silencio, au moment d'un de ses exceptionnels couchers de soleil, avec Dominique, François et Jean-Baptiste, le nouvel enfant (page de droite, en bas).

leurs erreurs. Denis y triomphera des obstacles par les ressources de la vie intérieure et toute personnelle, reposant toujours sur les mêmes bases : l'épouse, la famille, les enfants. C'est en effet pour lui une vie nouvelle, que célèbrent, dans la peinture la grande *Résurrection de Lazare*, en 1919, et dans la vie, le remariage avec Élisabeth Graterolle le 2 février 1922, suivi de deux naissances, en 1923 (Jean-Baptiste) et 1925 (Pauline).

La *Résurrection de Lazare* (ci-dessus), peinte en 1919 et située dans un décor breton que signalent les maisons, est directement liée à la mort de Marthe. Mais sur un thème de la tradition chrétienne, ce tableau si profondément personnel prend une résonance étrange : par sa gamme de couleurs restreintes et la lamentation de ses verts et jaunes acides, par la particularité du site et ses stratifications dans lesquelles les personnages transformés en blocs de pierres viennent eux-mêmes s'encastrer. Cette inébranlable construction pyramidale, qui est aussi un monument de foi, redonne une assise à la tache noire du deuil des deux sœurs, placées sur une base étroite et instable.

La leçon de la *Schola*

Pour l'art, l'instrument de cette résurrection, ce seront les Ateliers d'art sacré, fondés en 1919 avec George Desvallières, avec pour but « 1° de former

des artistes catholiques; 2° de fournir aux églises et aux fidèles des œuvres religieuses qui soient en même temps des œuvres d'art ». Et un modèle précis : « Une école qui serait organisée sur le plan de la *Schola cantorum* et qui grouperait les divers enseignements (peinture, sculpture, décoration, vitrail, etc.) autour d'une doctrine à la fois traditionnelle et vivante... » (1919). Le principe est celui des corporations médiévales – auxquelles se réfère Gropius au même moment pour le Bauhaus fondé à Weimar, avec une volonté de renouveau spirituel comparable... Et avec les mêmes buts pratiques : « Au lieu d'autodidactes qui ne font que des génies ratés, on a, pour le moins, des hommes de métier qui remplissent une fonction utile dans une société policée » (1916, à propos de l'Académie Ranson).

Mais Denis, lui, est proche des principaux acteurs de l'Art déco, à la recherche eux aussi d'un art moderne qui refuse les extrêmes. Celui qui va triompher à l'Exposition internationale de 1925, où les Ateliers d'art sacré sont représentés par la chapelle du Village français, avec une fresque du peintre à l'autel. Lisbeth, sa nouvelle épouse, sort de la *Schola cantorum*, qu'il connaît de première main par son directeur, Vincent d'Indy. L'organisation est semblable. Et l'idéologie non moins, qui conduit à l'entreprise commune de l'opéra *La Légende de saint Christophe*, monté en 1920 au palais Garnier et

Le projet d'affiche pour les Ateliers d'art sacré (à gauche) montre leur étroite parenté avec l'expérience antérieure de l'Académie Ranson, mais souligne la dimension spirituelle qui manquait à celle-ci. En faisant appel à la commande, il révèle aussi la fragilité de l'entreprise. Installé rue de Furstenberg, à côté de l'atelier de Delacroix, Denis trouve pourtant son bonheur, et au moment qu'il fallait : « L'École d'Art Sacré : mon enseignement et les amitiés qu'il m'attire, ces jeunes chrétiens, quelle consolation ! » (*Journal*, Pâques 1920).

dont Denis donne les décors, les costumes et l'affiche : une grande fresque allégorique où les déviances de la société contemporaine sont vivement prises à partie, au profit de l'idéal chrétien et monarchiste.
L'ouverture d'une section d'art religieux au Salon de la Société nationale des beaux-arts en 1920 (dont il est vice-président), comme plus tard les expositions internationales d'art religieux organisées à Paris donneront de nouveaux supports aux Ateliers, liés étroitement pourtant à la personne même de Denis et à la réalisation de ses œuvres, avant une lente extinction, jusqu'à leur fermeture en 1946.

Pour la création de *La Légende de saint Christophe*, Denis, qui a entendu la partition au piano dès 1912, laisse se déployer dans les riches décors et costumes (ci-dessous et page de gauche) une verve baroquisante qui signale autant sa passion nouvelle pour Delacroix que la forte impression reçue des spectacles montés par Diaghilev, et des décors de Bakst et Golovine en particulier : à l'acte II, au milieu d'une forêt épaisse, Auférus fait traverser sur son épaule l'enfant sacré qui va susciter sa conversion (ci-dessus).

Le bateau France

Le drapeau de la France est donc hissé : à la proue des bateaux, dans les régates de Perros… Et les trois couleurs se glissent dans les robes et les peignoirs des plages. Un des sens du ressourcement annuel en Bretagne, terre de religion et de tradition, dans les processions comme dans les divertissements. Pour une peinture nationale ? Assurément.

Mais avec les meilleurs maîtres : Corot, et Delacroix surtout, qui prennent le pas sur les modèles d'autrefois. Le premier pour une célébration du paysage français (qui inspire de multiples variations, de la Bretagne à la Provence), et la qualité incomparable du métier. Le second, pour son attachement à la peinture d'histoire, et un génie « baroque », qui inclut le classicisme sans s'y substituer (Denis cite son mot connu, à propos du plafond du Sénat : « [...] je suis un pur classique »).

Bien que séjournant chaque été à Perros-Guirec, Denis ne pratique lui-même que fort peu le bateau, contrairement à ses fils. Mais, depuis les années 1890, les fêtes des régates ont été une occasion de célébrer le traditionalisme breton, qui retrouve un regain d'actualité après la guerre : dans le port de Ploumanach, en 1921 (ci-contre), girandoles et guirlandes d'hortensias formant couronne sont associées aux trois couleurs en même temps qu'à Lisbeth (au centre), François et Dominique (à gauche et en bas). Cette portée symbolique se résume plus librement en 1923 dans la triomphante esquisse du portrait de Dominique à la proue de son premier bateau, l'*Isard*, voile et cheveux au vent (ci-dessous).

Cet œcuménisme bien caractéristique trouve sa parfaite expression dans la coupole Dutuit du Petit Palais à Paris, qui, à partir d'un projet de célébration de la Victoire, en 1919, devient en 1925 l'*Histoire de l'art français*, avec un panthéon tricolore qui part de la cathédrale de Chartres et tente de résumer une ligne de conduite. La place faite à chacun y comptera plus que le résultat d'ensemble, desservi par un espace ingrat. Et celle des maîtres contemporains en particulier, que Denis a tous connus, visités, interrogés, et dessinés : Cézanne, Degas, Renoir, Monet... Pour affirmer la nécessité d'assumer, sans rupture, cet héritage.

La réalisation de la coupole du Petit Palais (ci-dessous) est l'occasion d'établir une généalogie dans la tradition nationale. Parti de Chartres et d'une colonne d'anges, le parcours fait la part belle aux maîtres du XIXe siècle, accompagnés chacun d'une de leurs figures représentatives (ci-contre, détail) : Carpeaux avec *La Danse*, Delacroix avec sa *Liberté*, Manet avec *Le Fifre*, Ingres avec le portrait de sa femme, et bien sûr, Puvis, pour conclure prudemment par Cézanne, Degas, Renoir et Gauguin.

Le peintre voyageur

Denis n'est pourtant pas un intellectuel crispé sur la doctrine, l'enseignement, et le nationalisme, comme pourraient faire croire les textes de son « retour à l'ordre » du début des années 1920 et la direction des Ateliers d'art sacré. Avec ces références majoritaires à des peintres de la couleur et de la sensualité, sa création personnelle prend au contraire une liberté nouvelle, accueille les données de nature et d'art avec une générosité plus grande. Les voyages en témoignent, qui commencent alors à se multiplier et permettent en même temps de prendre du recul. En Afrique du Nord, sur les traces de Delacroix, et avec un même usage du carnet de dessin. Puis en Sicile, pour y découvrir un baroque exubérant et qui pourtant témoigne de la même ardeur de foi que la cathédrale gothique, confirmée au retour par Rome et l'année suivante par Venise, vues sous cet angle nouveau (« faut-il que le peintre choisisse entre les visions de Tintoret et l'Évangile de Giotto ? »).

« Les beaux aspects de Palerme : piazza Pretoria, immense guignol barocco des statues de marbre autour d'une fontaine entre le Municipe jaune, Santa Catarina rouge et San Giuseppe gris avec de petites coupoles vertes [...] » : les notes du *Journal* complètent les carnets de croquis, révélant la façon de voir et de travailler en voyage (ci-dessus et page de gauche, en haut).

Les *Carnets de voyage en Italie*, publiés en 1925, gardent dans l'extraordinaire virtuosité de la gravure sur bois des frères Beltrand la saveur des aquarelles sur le motif. Celles-ci révèlent une soif de vie comme une aptitude à la pure visualité qui n'ont peut-être jamais été si grandes – mais restent bien sûr animées par la foi, à l'image de « ces œuvres de l'époque baroque, qui expriment une vie intérieure intense et passionnée comme

celle des grands mystiques espagnols » (1922) ; ou encore des nus de Renoir, dont « la santé des beaux corps, la robustesse de ces belles architectures charnelles, empreintes de sérénité classique, est exempte de perversité, *Sana, sancta* » (1920). Il n'y a pas eu véritablement rupture en effet : tout autant qu'en 1890, malgré l'évolution des formes, l'art est toujours « la sanctification de la nature ».

« Kairouan. Long voyage. Mais au lever du soleil, quel enchantement ! Des nomades amènent des troupeaux de chameaux, des ânes, des chèvres, sur de vastes places autour des murailles brunes de la ville blanche. »

Journal, 1921

Sensible comme lui à la forme des dômes et à la transparence de la lumière (ci-dessous), Denis éprouve la même révélation que Klee en 1914, notant des impressions semblables et peignant au même endroit une aquarelle célèbre, que l'on pourra comparer (*Devant les portes de Kairouan*, fondation Klee, Berne).

« Qu'est-ce qu'il faut faire ? Entre le besoin que j'ai toujours aussi impérieux de produire, et mes doutes, et mon passé, et mes scrupules de nature et de technique, quel chemin prendra l'artiste qui vieillit ? »

Maurice Denis, *Journal*,
juillet 1926

CHAPITRE 5

ENTRE LES LEÇONS ET LES CHARMES

Les voûtes de l'escalier du Prieuré, aménagé en bibliothèque (ci-contre, en 1931), sont propices – sous la protection du portrait de l'abbé Vallet (à gauche de la porte), le mentor des années de jeunesse – à l'activité d'écriture, qui repose des grands chantiers (page de gauche, abside de l'église du Saint-Esprit en 1934).

La querelle des images

Classique ou baroque ? Après 1925, la question cède à celle, plus cruciale, du sujet, alors que les extrêmes s'exaspèrent, devant la montée des périls : ce sera en 1935-1936 la célèbre « Querelle du réalisme », menée par les critiques et artistes engagés, qui pensent découvrir des vérités que Denis avait exposées dès 1923-1924 (Léon Moussinac : « La réhabilitation du sujet dans la peinture d'Occident ne peut plus longtemps être différée... »). En 1933, le peintre donne comme conclusion à ses *Charmes et Leçons d'Italie* deux des textes consacrés alors à cette épineuse question. Pour rappeler sa distinction entre « sujet intérieur » (« le véritable sujet, l'impondérable et indéfinissable poésie que l'artiste tire de son cerveau et de son cœur ») et « sujet extérieur » (« le sujet dogmatique qui exige du spectateur des connaissances historiques, allégoriques, religieuses »). Et souhaiter que le second « vienne tout naturellement et comme une fleur » s'épanouir sur le fond de sensibilité du premier. Sans sous-estimer la difficulté de « l'adaptation du sujet intérieur au sujet que la religion impose » : plus d'une fois il y aura partage chez lui entre les « leçons » et les « charmes ».

En 1927, une belle conférence ramène la peinture à l'exemple de saint François, pour inviter le peintre à « prêcher aux oiseaux » – « je veux dire aux âmes simples ou aux facultés sensibles de l'âme » – avec l'aide du sujet qui « porte et soulève les artistes » : « Ainsi l'art doit chercher sa nourriture dans le concret, dans le réel, et tirer de là le moyen de chanter, et de chanter si joyeusement que les hommes, arrachés aux soucis, aux misères et aux plaisirs de la vie quotidienne, soient contraints de

« Ceux-là qui l'ont pratiquée ne se rappellent pas sans plaisir la vie de l'échafaudage : c'est-à-dire la lutte passionnante contre la matière : – le mur, la couleur, la matière optique ; – l'attention aux proportions, à l'architecture, à la visibilité ; l'interprétation des esquisses, des dessins et des documents ; enfin, la joie qu'il y a à trouver coûte que coûte la solution de problèmes qui ne peuvent attendre. Cela demande de la bonne humeur, de l'endurance, de la simplicité. Et la collaboration du maître et des élèves y est plus variée, plus vivante, plus complète. »

Charmes et Leçons de l'Italie, 1933

[Ci-dessus, Denis chez les Franciscaines de Rouen, en 1930, peint par son ami Vuillard.]

l'entendre et de suivre ce chant dans les hauteurs du ciel. » C'est faire confiance d'abord à la vie intérieure du peintre et à sa capacité de « chanter », un critère fort peu porteur en période de tensions théoriques...

Le temps des grands chantiers

L'église « qui donne le mieux l'idée de ce qu'on peut attendre de l'emploi judicieux du ciment et du béton armé », écrit Denis de Saint-Louis de Vincennes en 1922 (ci-dessus); il y trouve aussi un support favorable pour tenter de réaliser ce qu'il admire chez Michel-Ange : « Le sublime, c'est d'aborder le sujet ou le mur avec une attitude grande, noble, sans rien de mesquin. »

Les « leçons », ce seront celles des décors d'églises, qui culminent en 1927 à Saint-Louis de Vincennes et en 1934 au Saint-Esprit à Paris, exemples de parfait accord avec une modernité architecturale qui n'est pourtant pas celle des avant-gardes. À Vincennes, avec *La Justice de Saint Louis*, l'exemple des giottesques est manifeste. Et tout autant la volonté de s'intégrer à l'architecture de Jacques Droz et Joseph Marrast, vivement louée en 1922 : distribution des épisodes sur les cinq pans de l'abside, troncs de la forêt de Vincennes partant à l'assaut des étroites fenêtres, et en retour prolongement des rayons lumineux dans l'ombre projetée des arbres.

Au Saint-Esprit, à Paris, la volonté d'« édification » est assurément présente, mais pas moins la leçon de style. Pour occuper magistralement l'abside de l'église en béton de Paul Tournon, en y insérant une architecture fictive qui cite sous les arcades à la fois Sainte-Sophie, dont l'architecte s'inspire, et Saint-Pierre, qui inspire le peintre. Avec l'intercession de Delacroix, dont est dédoublé le rideau de l'*Héliodore* à la chapelle des Saints-Anges de Saint-Sulpice, agité par le vent de l'esprit, et encadrant la pluie ardente de lumière de la Pentecôte, en une composition grandiose, véritablement inspirée. Sur tous ces travaux, le jugement du peintre sera finalement sévère : « Je n'ai aucune illusion. Seuls des dons de composition, une certaine sensibilité, et la probité de mes efforts de réalisation pourront défendre une partie de mon œuvre de décorateur » (*Journal*, hiver 1940). On méditera pourtant la remarque à Vuillard

Les décors du Bureau international du travail en 1931 (ci-contre) et du palais de la Société des nations en 1938 (ci-dessous), tous deux à Genève, témoignent de la conception finale de l'art mural de Denis en même temps que de sa dernière prise de position politique, devant la montée des périls : dans le premier, pour un humanisme social et chrétien, avec un *Christ aux ouvriers* réalisé à la demande de la Confédération des syndicats chrétiens (« peut-être ce que j'ai réussi de plus réaliste », 1931), pour la paix armée dans le second, avec, sur la gauche, un Orphée qui fait ramper le tigre à ses pieds. Deux espoirs bientôt déçus.

en 1898, après visite à la Sixtine : « Rien n'est plus laid que le *Jugement dernier*, et c'est cependant une des merveilles de la peinture »... Delacroix et Michel-Ange : les bons maîtres.

Le décorateur profane

Le décor profane est a priori moins stimulant. Presque aussi abondant, il permet pourtant l'expression des convictions, et parfois des charmes d'une peinture moins contrainte. Alors que le plafond de l'escalier du Sénat (1928) paraît comme intimidé par le voisinage de celui de Delacroix, à la bibliothèque, les peintures des Hospices de Saint-Étienne, en 1936, sont l'occasion du retour

inattendu des plages, et du motif brillant des toiles rayées de couleurs vives, égayant l'austère salle du Conseil. Plus significatives pourtant sont les deux grandes réalisations ultimes. Au palais de Chaillot, en 1937, en compagnie des vieux amis appelés par lui, Vuillard, Roussel et Bonnard, les deux panneaux en pendants des galeries latérales d'une salle aujourd'hui défigurée reviennent à un thème central – et à Puvis – qui n'a cessé de courir en filigrane dans l'œuvre décorative : *La Musique sacrée* rend hommage à l'*Inspiration chrétienne* de l'escalier du musée des Beaux-Arts de Lyon autant qu'au paysage italien, tandis que *La Musique profane* renvoie aux premières années avec Marthe, à l'époque de *L'Éternel Été* (1905) et au Théâtre des Champs-Élysées. *La Paix dans la force,* le grand décor de la Société des nations en 1938 (toujours à quatre, Roger Chastel remplaçant cette fois Bonnard), résume la position politique de Denis, retiré de l'Action française en 1927, et pendant la guerre, rejetant fermement Vichy pour se rapprocher de la Résistance : dans la société comme dans la peinture, désormais loin des extrêmes, mais ni à rebours ni à l'écart.

Au pourtour de la salle du tout nouveau Trocadéro, les deux panneaux consacrés à la musique réveillent des thèmes plus personnels. *La Musique profane* (ci-dessus), dans la ligne esthétique de l'*Histoire de Psyché* de 1908, est un « Songe d'une nuit d'été » évoquant maints souvenirs et œuvres passées, des jardins Boboli à Florence, plusieurs fois visités, au quatuor de *L'Éternel Été* ou à *L'Orchestre* du Théâtre des Champs-Élysées. À cette date trop dépréciatif de son œuvre, Denis parle, après l'inauguration, de ses « pauvres petites peintures », devant ce qui lui paraît, au contraire, le « triomphe » de Vuillard.

La fabrique de l'histoire

Le temps des théories est maintenant terminé. Celui des regards sur le passé est advenu. Denis se fait mémorialiste et historien. Mais à sa manière, comme il avait commencé de faire en 1903 avec son « Influence de Paul Gauguin » : il s'agit toujours de se constituer une généalogie justificative, ne rejetant rien des diverses admirations d'autrefois. En 1934, il publie dans la *Gazette des beaux-arts* un long texte sur « L'époque du Symbolisme », racontant de nouveau les années nabies. Mais avec encore des détails inédits, comme si la maladie des yeux avait accru l'acuité de la vision intérieure, à la façon de Catherine Emmerich, dont la lecture des visions l'a tant marqué. En 1943 encore, une modeste préface d'exposition à la galerie Parvillée apportera d'autres précisions, focalisées sur ces années décisives, jamais reniées, jamais oubliées. Mais c'est aussi que les acteurs principaux d'alors disparaissent : Sérusier en 1927, Vuillard en 1940, Émile Bernard en 1941…

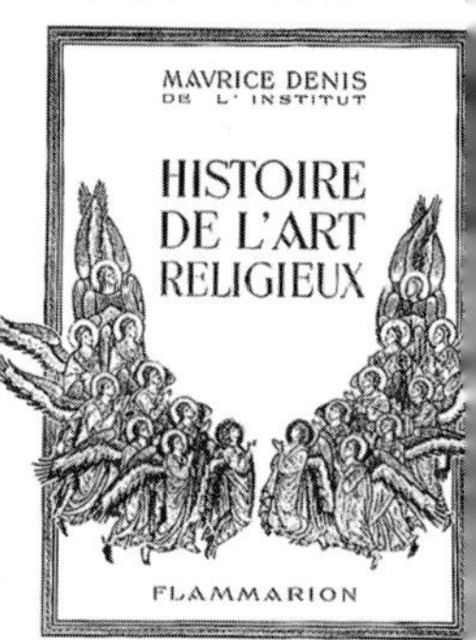

En traçant un panorama qui va des origines au XXe siècle, la vaste synthèse que publie Denis en 1939 (ci-dessus) tend à démontrer aussi que « l'art chrétien résume à peu de chose près toute l'histoire de l'art occidental » (introduction).

Pour eux tous comme pour Cézanne, Denis, écrivain talentueux et prolixe (trois livres et une cinquantaine de préfaces et de textes, entre 1930 et 1943), devient une source d'exception, en des textes auxquels il faut toujours se référer. Témoin privilégié mais aussi fabricant de l'histoire, qui ne cesse d'être téléologique : ainsi du grand livre sur l'*Histoire de l'art religieux* de 1939, des origines jusqu'à l'époque contemporaine, pour un vibrant éloge, en son dernier chapitre, de l'art sacré du moment (les maîtres de l'Art déco sont loués : Lalique, Barillet, Subes, Dunand, Richard Desvallières, Puiforcat...), où Denis lui-même s'espère le successeur de Delacroix, grand peintre religieux du XIXe siècle.

L'importance des décors peints a longtemps fait oublier l'activité soutenue du peintre de chevalet dans les années 1920 et 1930 : elle réserve des découvertes notables, qu'il s'agisse de la poursuite de thèmes anciens, mais dans des tonalités nouvelles, comme dans *La Plage au bateau rose* de 1927, avec ses multiples effets de citations, d'échos et de reflets (page de gauche) ; ou de l'apparition de nouveaux centres d'intérêt, comme l'étude des contre-jours et des irisations sur l'eau, telle cette vue des bords de l'Arno, à Florence, peinte en 1933 (ci-dessus). Dans les deux cas, l'évolution est à mettre en parallèle avec celle de Bonnard, Vuillard et Roussel, pour lesquels Denis ne cache d'ailleurs pas son admiration.

« **L'expression, l'émotion, la délectation** »

Au début des années 1930, Denis est un maître comblé – trop peut-être : commandeur de la Légion d'honneur en 1926, membre de l'Institut en 1932... Fallacieuse sécurité des titres, pour celui qui n'a cessé de douter et qui pratique dans son *Journal* l'examen de conscience permanent. Comme contrepoids, les voyages : Hollande, Amérique du Nord, Angleterre, Moyen Orient surtout, longtemps rêvé (1929). Et les tableaux de chevalet, dans l'intimité de l'atelier, bien différents des grands décors, et largement à redécouvrir. Les *Annonciations* y constituent un fil conducteur, comme les *Plages*, teintées maintenant des couleurs de l'automne, ou encore les dernières *Vasque de la villa Médicis* (de 1928 à 1934), cadrées sur les reflets crépusculaires du bassin avec, dans les rides de l'eau, le souvenir

Jeunesse ou *La Vague au ballon rouge* (ci-dessus) : en 1935, Denis reste fasciné par ces scènes de plage, d'une éternelle jeunesse – une version antérieure fait apparaître dans l'eau une naissance de Vénus d'inspiration botticellienne –, qu'il est frappant de confronter à ses derniers autoportraits (page de droite, en haut). Dans ce petit tableau, le mouvement alternatif du ressac répond à celui du lancer de la balle, garants l'un et l'autre de la permanence de la vie. L'œuvre, par son dépouillement subtil et sa préciosité de couleur et de dessin – on retrouve le souvenir des arabesques nabies dans l'ourlet de la vague nacrée –, concentre ce qui reste le meilleur et le plus secret du peintre.

des vermiculures anciennes. D'autres petits paysages aussi, aux thèmes plastiques singuliers, comme ces études de miroitements sur l'eau, à Florence, à Rome, en Bretagne, sur les fleuves ou l'Océan… Denis y témoigne souvent d'une capacité d'invention qui retrouve l'ingénuité des découvertes d'autrefois.

La page autobiographique du *Journal*, le 1er janvier 1940, résume : « Rupture avec les extrémistes. Je deviens officiel tout en cultivant la secrète inquiétude d'un art qui exprime ma vision, ma pensée, et tout en m'efforçant de mieux réaliser la leçon des maîtres. » Pour rappeler ce qui reste sa « théorie » la plus sûre : « se servir de la nature sans perdre de vue l'objet essentiel de la peinture, qui est l'expression, l'émotion, la délectation » (*Journal*, février 1930).

L'estampe et le livre : le secret du bonheur

Cette sensibilité intimiste et cet « impressionnisme subconscient » dont Denis nous dit dans le *Journal*, en 1940, qu'il n'a cessé de lutter dans son œuvre avec « l'imagination décorative », c'est peut-être dans l'œuvre gravé qu'on en trouve la plus personnelle expression. Et particulièrement dans le dernier livre achevé avec Vollard, engagé en 1932 et finalement publié en 1942, après la mort du marchand.

Denis y revient à la lithographie en couleur, de sa main, après les *Carnets de voyage en Italie* (1925), *La Mort de Venise* de Barrès (1930), *Un jardin italien* sur les poèmes de Mary Robinson (1931) et *Le Crépuscule sur la mer* de Suarès (1933), qui sont gravés sur bois par les Beltrand. Les *Poèmes* de Francis Thompson, le grand poète catholique anglais contemporain, sont traduits par Lisbeth, que le peintre fait figurer avec lui en fin de volume. Le poids du texte, le talent de la traductrice, le médium… tout porte ici à un travail inspiré, où le dessin retrouve aussi son entière liberté.

Floraison tardive, caractéristique de la vieillesse des maîtres, déployant les couleurs fondues ou vaporeuses sur un dessin doucement tremblotant et qui a su garder ou retrouver la « gaucherie » ingénue des années de jeunesse : on y reconnaîtra un autre grand livre de peintre du demi-siècle, aujourd'hui trop méconnu. « Tout art digne de ce nom est symboliste puisque tout art a pour but de signifier quelque chose » (1913). Dans l'ode qui célèbre Hypérion, la jeune Aurore prend son envol vers le ciel avec « celui qui va au-dessus de la terre » pour un dernier voyage, quittant sereinement la mer bretonne où jouent les baigneuses de Perros.

C'est une plage encore qui figure au bas d'une des plus belles lithographies de grand format accompagnant, dans un portfolio final, les *Poèmes* de Francis Thompson (ci-dessous, Hypérion et Aurore). Mais cette fois, c'est pour un adieu définitif : le peintre meurt accidentellement le 13 novembre 1943, un an après la publication du livre sur lequel il a travaillé près de dix ans. Cette reprise ultime du crayon lithographique, ici pour une mythologie proche de celles de son ami Roussel, est un retour aux sources en même temps qu'un testament.

TÉMOIGNAGES ET DOCUMENTS

Par lui-même

Denis commence son Journal *à treize ans, et seule la mort l'interrompt, après soixante ans de vie intérieure intense. Confident, témoin des examens de conscience, carnet de notes pour les œuvres, terrain d'essai des articles, miroir de son temps : un document historique, littéraire et humain de tout premier ordre, à mettre sur les rayons à côté de celui de Delacroix. Introuvable aujourd'hui pourtant, et qu'on ne peut ici qu'entrouvrir.*

L'enfance et la jeunesse

15 août 1884,

Tantôt nous allons à vêpres. Procession des jeunes filles de la Vierge : c'est charmant, ces enfants de Marie avec ces voiles blancs : c'est la candeur, la modestie, les anges.

12 août 1885,

J'ai pris tantôt à l'aquarelle la tête vénérable de Fra Angelico, d'après Fra Bartolomeo. Je l'ai à peu près bien faite. C'est une relique. Je réunis les matériaux nécessaires pour écrire un résumé pratique de la vie de ce saint artiste. Quoi qu'il arrive, je le ferai.

Et plus tard j'irai demander à Notre Saint-Père le Pape la béatification solennelle du dominicain. Et alors – oh, que ce serait beau – je lui élèverais en plein Paris profane une somptueuse chapelle, que mes confrères et moi s'ingénieraient à orner de tableaux, de fresques, de tavoles, de prédelles, de lunettes… Oh ! que ce serait beau. Et chaque année, notre société artistico-religieuse y viendrait entendre la messe avec sa toile sur le bras. La messe dite on accrocherait les envois – exclusivement religieux – dans un local *ad hoc*. L'exposition se terminerait par une seconde messe dans notre église !… Comme je sais bien rêver !

26 août 1885,

C'est aussi mon rêve, la Terre bretonne; et ce l'est bien encore. J'espérais, après mon prix de Rome et mes cinq ans en Italie, connu déjà – bafoué, discuté, admiré – par mes toiles de sainteté, me retirer tranquillement dans le pays des saints et des vieilles coutumes.

J'aurais vécu là, ami du curé et du maire, et de tout le monde, dans un bourg de pêcheurs; j'aurais eu ma petite maison et mon petit jardin et mon petit atelier et ma petite chapelle et mes petits lapins. J'aurais vécu pauvre, humble, paisible et content sous le regard de Dieu, loin de ce bruyant et riche Tout-Paris qui m'obsède.

5 janvier 1886,

La peinture est un art essentiellement religieux et chrétien. Si ce caractère s'est perdu dans notre siècle impie, il faut le retrouver. Et le moyen, c'est de remettre en honneur l'esthétique de Fra Angelico, qui seule est vraiment catholique ; qui seule répond aux aspirations des âmes pieuses, mystiques, aimant Dieu.

Le monde accueillera bien cette réaction. Les médiévistes se multiplient. On s'arrache les Primitifs, mêmes les plus étranges et les plus médiocres.

Cela est excellent : l'Église, les âmes saintes doivent fatalement comprendre que le réalisme, le naturalisme, même les plus purs, ne sont pas capables de les satisfaire. C'est à ce moment de l'évolution artistique qu'il faut tenter un effort, un grand effort pour ramener l'Art à son grand Maître qui est Dieu; pour le courber de nouveau au service de Celui qui peut seul inspirer les grandes choses. Il faut un homme appelé par Dieu, un moine, un ascète, un mystique, un saint qui lève aux yeux du siècle l'étendard de la révolte contre l'impiété et l'impureté qui avilissent l'art, suivies de la médiocrité et de la décadence. Il faut que cet homme soulève des controverses, des attaques, des enthousiasmes, qu'il fasse une école et qu'il ait des successeurs.

Que l'art rentre au cloître pour la plus grande gloire de Dieu. Ce seront des âmes élevées qui concevront, qui trouveront, des mains pures qui exécuteront. On priera en travaillant; on répétera humblement avec le Psalmiste : *Dico opera mea Regi*, et encore : *Non nobis, non nobis, Domine, sed nomini tuo da gloriam.*

Et alors la peinture religieuse sera grande pour le monde, et agréable à Dieu.

Qui sera chargé par le Très-Haut de cette belle mission ?

Que celui qui a des oreilles entende ! Une voix lui parlera dans le secret du cœur et lui dira : c'est toi. Seigneur, que votre volonté soit faite ! Ainsi soit-il.

J'ai écrit ces lignes afin de savoir quelque jour quel espoir j'ai nourri quand j'avais quinze ans.

Septembre 1890,

Voici que l'intellectualisme se confirme et devient. Approches du temps de virilité, phase dernière et définitive, sans doute, où s'ébauche encore très vague le système d'ensemble qui serait celui de ma vie? Tous liens se resserrent entre les théories d'Art, chaleureusement défendues, la philosophie jusqu'à ce jour satisfaisante, le rêve de justice sociale entr'aperçu dès ma prime jeunesse, et la Foi immortelle, suprême raison de tout effort.

Et c'est encore une haute tranquillité, à l'aspect d'une vie qui serait utile, et bonne et dans l'ordre.

Conciliation entre les désirs du cœur, toujours renaissants, – joie des sensations douces et blanches, espoir des affections heureuses, attente de l'Aimée, – et le mystère du sacrifice sans cesse révélé par les choses.

Les années de maturité

10-11-12-13 août 1914,

Tout ce que j'ai de force morale vient, après Dieu, des années de vie intérieure qui ont précédé mes vingt ans ; autrement je ne suis qu'un bourgeois sensible. Vraiment, nous avons besoin de miracles, car notre foi est déconcertée par tant d'épreuves, et je n'ai plus de confiance en moi. Qu'est-ce que je vaux? Est-ce que je suis prêt à me sacrifier pour Dieu, pour ma patrie, pour le roi? Est-ce que je n'aime pas mieux une petite vie confortable et ce lâche dilettantisme que justifie ou qu'excuse la profession artistique? De la pauvre fille que j'ai tant aimée, que j'aime encore avec tant de fièvre, de celle qui était la fraîcheur et la santé, et comme une source souriante de bonheur et de vie, voici que le visage même est devenu douloureux, contracté. Tous les rêves que j'avais assemblés autour du Vieil-Hôpital se confondent avec des visions d'horreur et de mort. Et, au milieu de ce grand tumulte guerrier qui absorbe toutes les puissances extérieures de moi-même, ma petite âme d'enfant peureux et sensuel se remet, comme si tout en ce monde était fini pour elle, entre les mains terribles de Dieu.

1919,

Tout le monde craint la révolution sociale. Supposons qu'elle se fait et, comme le souhaitent Perret, Ozenfant, Jeanneret, qui sont venus me voir il y a huit jours, que l'art s'unifie, se simplifie, que toutes les maisons et toutes les rues et toutes les villes sont pareilles et qu'aussi peut-être les femmes s'habillent des mêmes robes; enfin que l'égalité règne dans les arts comme parmi les hommes. Est-ce qu'il n'y aura pas des révoltés contre la règle, contre cet idéal monastique ? Un retour d'individualisme assez fort pour réaliser l'Anarchie. Alors, supposons l'anarchie. Les hommes reviennent à la barbarie primitive, sont des Robinsons vivant chacun pour soi et par soi. Oui, mais la science a doublé la nature. La machine perfectionnée fonctionne seule et produit des forces, électriques ou autres, nécessaires à la vie. Les Robinsons de l'Anarchie puisent dans ce domaine nouveau comme dans la Nature. Mais ils ont assez de cet art pauvre et froid que la société leur a imposé, et, par réaction, par amour de la vie, ils font un art baroque et Louis XIV, chargés d'ornements et de fantaisie.

Depuis les meubles anglais de 1889, et même depuis le Louis XVI, il y a appauvrissement des arts appliqués, sous prétexte de pureté (ou de purisme), d'idéal antique. On évolue vers la maison cubique, en béton, de Perret, la même pour toutes les latitudes et pour tous les hommes. De l'ornement ! Des belles matières, de la richesse !

1930,

Période de découragement. Tant de « ratés » dans mon œuvre absurde de fécondité, pleine de trous, faussement raisonnable. Il me semble que si mes yeux… je pourrais encore produire des travaux meilleurs : ce qui me manque c'est cette obéissance à la sensibilité, dont Bonnard continue à tirer un parti supérieur à tant de chefs-d'œuvre avortés.

Revenir à ma première attitude : celle de l'observateur naïf, et ne pas ajouter du « travail soigné » à ce qui seulement compte dans ma peinture, l'émotion.

Si je prenais un atelier de l'École, je dirais ceci :

Messieurs, je vais vous dire ce que vous enseignerai. Je vous enseignerai Delacroix.

Je ne vous enseignerai pas à faire du Maurice Denis. J'en ai fait parce que je ne pouvais pas faire autre chose. Vous Durand, si vous faites du Durand, je vous en félicite, mais je n'y peux rien. Pendant que vous êtes à l'atelier apprenez ce qui peut s'enseigner. Je ne vous apprendrai pas à faire de la petite peinture : mais de la grande, comme Delacroix. C'est-à-dire : à faire des esquisses, à les pousser, à les utiliser ; à faire des dessins utiles pour peindre ; à se servir de la mémoire, à la meubler, et par conséquent à faire du dessin de pratique, à se servir de la nature sans perdre de vue l'objet essentiel de la peinture qui est l'expression, l'émotion, la délectation ; à connaître ses moyens, à peindre décorativement, à exalter la forme et la couleur.

Les notes de l'élève de Delacroix, de Planet, dans la brochure de Joubin, m'ont beaucoup frappé : aucune interprétation, c'est la pensée « commune », habituelle du maître, l'enseignement utilitaire, l'apprentissage.

1931,

Vraiment, dans ces années qui deviennent pesantes, où même les soucis d'argent et l'ennui d'être sous-estimé par tout ce qui compte dans le monde de la jeunesse n'arrivent pas à me distraire de la pensée de mes fins dernières, et de la perpétuelle angoisse du temps rapide et rapace, de la fuite irrésistible du temps, des jours qui tombent si vite – ce qui reste de consolation active, efficace, c'est le spectacle de la sainteté et l'amour de la peinture.

[…] Entouré d'affection, Lisbeth, mes enfants, mes élèves, peu d'amis, je sens que tout passe, que tout ce bonheur humain ne dure pas. Mais la grande illusion, l'autre bonheur qui m'est nécessaire, je le connais devant le *Trajan* de Delacroix, aussi fort, aussi pénétrant que jamais. Et pourtant mes yeux s'en vont. Tel que je l'ai vu hier, dans l'atelier du Louvre, le *Trajan*, merveille de perfection, de noblesse, d'expression, me transporte, me ravit, ne me laisse ni désir, ni inquiétude. Cette plénitude de l'œuvre d'art est comme une face de Dieu. Ce petit homme, qui vivait il y a si peu d'années dans la rue de Furstenberg, où je vais corriger chaque samedi, dont je cherche à sauver l'appartement et l'atelier, quand il se hausse au chef-d'œuvre, il me révèle quelque chose du monde divin.

1er janvier 1940,

La première période de ma peinture c'est l'amour, l'émerveillement devant la beauté de la femme et de l'enfant. Intimités passionnées. Je n'avais que peu de moyens. À quoi bon? Ils suffisaient, l'expression de sentiments vrais seule comptait. Sérusier et Gauguin, après les Primitifs, me prêtaient leurs techniques, dont la simplicité s'accordait si bien avec les sentiments que j'exprimais dans la joie.

Ils s'accordaient plutôt avec mes sentiments qu'avec ma vision personnelle. Celle-ci était impressionniste – l'Italie, les ambitions classiques, en réaction contre des formules outrancières qui au fond me choquaient, bien que je fusse de leur parti, enfin les commandes de décorations me poussaient à des recherches de conciliation entre ma vision impressionniste et l'art des musées. Il y a quelques bons résultats : certaines *Plages*, l'*Hommage à l'Enfant Jésus*, l'*Éternel Printemps*, les *Fioretti*, le *Soir Florentin*. Avec Moscou et le Théâtre [des Champs-Élysées], période de formule et de facilité. J'ai pris à cette époque des habitudes d'atelier; je suis devenu décorateur.

Après la guerre et la mort de Marthe, qui a été la fin de beaucoup de choses heureuses, que le succès, la vie facile, certaines glorioles n'ont pas remplacées, j'ai porté dans l'art religieux, avec foi, certes, grâce à Dieu! les ambitions classiques, la facilité du décorateur qui invente avec abondance et connaît son métier. Les commandes affluent. Il y a des réussites, comme le *Chemin de Croix*, de grandes compositions comme Saint-Paul et toujours l'impressionnisme subconscient, qui lutte avec l'imagination décorative.

Mon mariage avec Lisbeth. Delacroix aimé et compris; Ingres abandonné. Rupture avec les extrémistes. Je deviens officiel tout en cultivant la secrète inquiétude d'un art qui exprime ma vision, ma pensée, et tout en m'efforçant de mieux réaliser la leçon des maîtres. Paysages d'Italie, et grandes machines.

J'en suis là au début de ma soixante-dixième année, mes yeux s'en vont, *jam delibor*. J'ai des commandes, j'ai des dettes : la lutte pour la vie matérielle devient chaque jour plus pressante. Je ne me résigne pas, je ne veux pas céder au découragement. J'ai encore le goût et le sens de la composition.

Maurice Denis, *Journal*,
Paris, La Colombe, 1957-1959

Portraits au vif

Verkade est un ami intime : rédigé alors qu'il est lui-même devenu moine, son récit de la première rencontre a la ferveur et la luminosité d'un Fra Angelico ; Natanson écrit tardivement, mais cela n'empêche pas l'acuité du regard, ironique et respectueux, pour une évocation de l'homme mûr qui ne dément pas celle du jeune nabi.

Un « jeune homme si remarquablement doué »

Un jour Sérusier me dit : « Nous allons voir le nabi Denis à St- Germain ; vous ne le connaissez pas encore. – Quelle peinture fait-il, demandai-je ? – Vous le verrez, dit Sérusier, Denis est un vrai symboliste. » Les environs de Paris sont parmi les plus beaux paysages que j'aie vus dans ma vie. La contrée où se trouve la ravissante petite ville de St-Germain-en-Laye rappelle tout à fait l'Italie, particulièrement la Toscane, avec cette différence que la splendeur de la couleur y est plus riche encore et plus lumineuse qu'en Étrurie.

L'après-midi, vers trois heures, nous frappâmes à l'atelier du nabi Denis. Un jeune homme d'à peine vingt ans nous ouvrit. Il était de taille moyenne. Une jeune barbe encadrait ses joues pleines et roses ; d'épais cheveux châtain foncé retombaient sur son beau front au-dessous duquel deux yeux purs comme ceux d'une vierge et aimables comme ceux d'un enfant brillaient d'un vif éclat. Il ressemblait à une jeune fille qui n'aurait jamais quitté sa mère, et ses œuvres donnaient cette même impression. Il est vrai que ce n'étaient là que des œuvres de jeunesse, mais elles étaient déjà d'une grande maturité. Elles portaient la marque d'une imagination riche, chaste et candide et témoignaient d'un sens de la couleur déjà fort développé. Il y avait parmi ses toiles plusieurs tableaux religieux qui glorifiaient presque exclusivement cette piété heureuse qui se manifeste de façon si bienfaisante dans l'Église catholique lors d'une première communion.

À côté de ce jeune homme si remarquablement doué, je me sentais tout petit. Rarement j'ai senti aussi profondément à quel point mon éducation était fragmentaire et superficielle. Je sentais instinctivement quel enrichissement la foi avait apporté à ce jeune artiste qui, comme le dit Sérusier, avait grandi en catholique fervent et qui, très jeune encore, avait passé son baccalauréat avec une note excellente en philosophie. Nous regardâmes longuement les tableaux du nabi Denis, puis nous fîmes une promenade dans les environs de la petite ville. C'était un merveilleux jour du début du printemps, époque où les bourgeons des arbres commencent à gonfler sans s'épanouir encore, où les troncs moussus sortent de la terre cuivrée, où les branches et les rameaux se détachent, rouge-sang, sur le ciel bleu. La nature est alors pleine de promesse et annonce sa prochaine floraison. Ah ! comme cette nature répondait à la peinture du noble jeune homme, du nabi Denis, dont les œuvres elles aussi annonçaient un printemps prochain, un printemps resplendissant de fleurs ! Durant notre promenade, nous reconnûmes souvent des motifs de paysage que le jeune artiste avait utilisés fort heureusement dans ses tableaux.

Jean Verkade, *Le Tourment de Dieu*, Paris, Rouart et Watelin, 1923

Un « cavalier catholique , très éclairé »

Tout dans Maurice Denis est rond : ses joues et la courbe de son front, les yeux très ouverts, les mains potelées, la démarche, même les enjambées que très souvent il précipite et jusqu'à l'ourlet des lèvres et à leur sourire. C'est encore ce qui le fait paraître plus replet qu'il n'est. Mais maint tableau de lui ne fait-il pas voir combien il a le goût des formes rondes ? En cela toute la descendance aussi de ce bon père de famille tient de lui comme elle reste fidèle à ses idées.

Des hommes profondément religieux Maurice Denis n'a pas que la virilité, le sérieux, cette virilité nécessaire aux heures douloureuses, précieuse, dans le bonheur, et, du sérieux, tout jeune, il avait déjà le sens. D'eux encore il a la gaîté, sans rien cependant, du moins dans le monde, de leur humilité. Pour sa gaîté, elle ressemble à celle des moines ou que l'on voit à certains abbés avec moins cependant d'insouciance. Elle ne tient pas seulement au parti, depuis longtemps pris, de ne s'attacher trop à rien, non moins à la tranquillité d'une conscience astreinte à de fréquents examens. La plaisanterie pourtant a ses cantons. Jamais il ne rit ni ne laissera rire de la religion, de la peinture, autre religion, qui, chez lui, s'accorde à la première ; de la musique, du culte de l'amitié, des devoirs envers son pays et cette énumération ne se prétend pas complète.

Si parfaitement qu'on le sache au fait de tout mouvement d'idées d'aujourd'hui, pour ne pas dire de demain, il arrive que sa personne évoque quelques-uns de ses ancêtres, j'entends spirituels.

Avec sa royale – seul trait qu'il ait de commun avec Jordaens – avec l'exactitude de sa politesse, tout son acquis, beaucoup de bienveillance native et assez de fermeté, il ferait penser parfois à quelque cavalier catholique, très éclairé, de la fin du règne de Louis XIII, mais fidèle à son roi, résolument hostile à la Fronde autant qu'il l'eût été peut-être, à la Ligue. Sa religion, plus que les édits, lui eussent interdit de tirer en duel l'épée, plus rarement d'oublier la prudence pour dire toute sa pensée. Je ne sais pas, et n'en parle qu'au pur point de vue psychologique, s'il se fût prononcé pour Port Royal ou contre, car son esprit, pourvu de ressources, lui eût permis de justifier la politique des Jésuites aussi. Mais ce que je sais bien, c'est que, quelque parti qu'il eût embrassé – et il eût été plutôt pour M. de Meaux que pour M. de Cambrai – quelque parti qu'il eût embrassé, ce n'est pas lui qui se fût jamais rétracté. Son goût de la fidélité n'est qu'une piété de plus. C'est une élégance encore, assez parente de celle qui lui a fait plus d'une fois – récemment encore – un devoir d'apporter son soutien à des opprimés. Comme il est toujours resté fidèle à la mémoire de Sérusier, il l'a toujours été très exactement à Redon, à Vuillard, à Ker Roussel, Bonnard ou Maillol. Et, d'avoir, plus tard, compris ou mieux compris Cézanne, ne l'aurait jamais fait parler, je ne dis pas mal, mais même légèrement, de Gauguin, qui a eu longtemps sa prédilection.

Thadée Natanson, « Maurice Denis, philosophe religieux », *Peints à leur tour*, Paris, Albin Michel, 1948

Échos et critiques

Avec une œuvre abondante, et de nombreuses expositions, la fortune critique de Denis est fournie. Mais elle contient relativement peu d'articles d'ensemble, et oscille souvent entre hagiographie et dénigrement. Les tout débuts sont peut-être plus parlants, et piquants : Geffroy, dont ce n'est pas le camp, succombe pourtant au charme, Fénéon trouve matière à ineffables effets de style, Vallotton renchérit dans la préciosité, mais évoque avec acuité les œuvres présentées en 1893 chez Le Barc de Boutteville.

« Un béguinage de peinture »

M. Maurice Denis, dont le nom apparaît pour la première fois dans les expositions, est un artiste épris de synthèse, dont on peut attendre des œuvres charmantes et subtiles. C'est un archaïque dans la série qu'il nous montre aujourd'hui, il s'est enfermé dans un béguinage de peinture visité par les délicieux rayons de soleil couchant. Il regarde, dans le silence, les sœurs aux coiffes bleuâtres qui passent dans le braisillement des lumières, auprès de la Vierge en or, – il célèbre avec dévotion le *Mystère catholique* où le diacre s'avance vers la sainte, précédé de deux enfants de chœur, dans la chambre ouverte sur le coteau fleuri d'arbres roses. C'est un poète qui se plaît aux glissements de pas, aux gestes lents, aux corps ployés comme des lis, aux flottements d'encens. C'est en même temps un observateur de la vie cléricale, il sait les regards brefs cachés aux bords des paupières, les crânes pointus, les mains molles. Il connaît les soirs des dimanches, les femmes en promenade aux bords des canaux, dans le violet du soir, sous les ciels roux et verts. Il dessine avec d'exquises harmonies de lignes les illustrations pour *Sagesse* de Verlaine. Il n'y fait pas apparaître le sens d'aujourd'hui, il en marque surtout le côté ancien, la poésie de moyen-âge – mais dans le *Motif romanesque*, il est moderne avec infiniment de douceur, et la femme qu'il montre en promenade, cueillant des fleurs par les taillis dépouillés, est une frêle, charmante et vivante apparition.

Gustave Geffroy,
« Les Indépendants », in *La Justice*, 1892
[critique du 10 avril 1891]

« Des œuvres de haute culture et de charme ecclésial »

M. Maurice Denis écouta quelque peu, en 1889, l'enseignement de Gauguin. Depuis, son originalité s'est mise en scène avec décision. Sans les rudoyer il astreint les apparences à servir souplement son rêve ontologique en des œuvres de haute culture et de charme ecclésial. S'il commente un poème, il ne s'attarde pas à la réédition plastique des images y encloses, mais tâche à figurer l'emblématture même de l'émotion que suscitent ces images. On connaît ses dessins pour *Sagesse*. Il en a gravé sept, du trait naïf des *formschneider*, et il exhibe ici les épreuves. Qu'il peigne ou dessine, nul souci d'imposer l'illusion de la profondeur : sur un terrain à peu près horizontal par définition, ses personnages s'étagent comme plaqués au flanc d'une alpe; mais il s'évertue à délimiter d'un tracé mélodique les espaces de vide qui les séparent. Ses plus séduisants tableaux sont de tonalité claire; d'autres semblent tendus de caligineux velours damassés, sur lesquels voici, bien insolites, des colorations en printanier bouquet. Comme moyen d'exécution : un pointillis, qu'il broche sur des fonds à plat, pour douer le tableau de quelque vie épidermique. – Par la glace qui les protège, par l'émaillé de leur facture, par leurs cadres d'un choix jaloux, les œuvres de M. Denis se confèrent un aspect d'objets d'art.

Félix Fénéon,
«Quelques peintres idéistes»,
in *Le Chat noir*,
19 septembre 1891

« La nette clarté de ses vues »

De Maurice Denis, la nette clarté de ses vues, d'un agencement idéal instruit, sans détour – d'une connaissance de son devoir tranquille, d'une légende un peu sobre qui se maintient… et se guide, aux figures de héros, et d'intimes vestales, un peu de condition, comme de corporation – d'après : un Israël; sous une clarté pécheresse, qui les bras tendus lutte (on dirait un mariage, des serments de fiancés accordés) – avec la sveltesse d'une primitive créature contre la divinité, d'un effort sans superflu, convenant à cette lutte que le peintre nous offre spirituelle, comme seule idée – où il n'est de plastique torsion que pour la forme, pas de fronts heurtés – quand débute la lutte au couchant, ou à sa fin le lendemain à l'aurore – puis une procession parmi de grandes tigelles à sève, que colore un vent laiteux – et la Sainte Marthe, où germent chaudement, accueillants, acteurs et chariot sur un coucher de soleil de froide office – le martyr féru de légères flèches, dans une clairière cruelle, cuisante encore de la présence des bourreaux, et sonnante d'une voisine oraison funèbre, descendant en apothéose de décor espagnol et mauresque – enfin une paysannerie maternelle, puérile, avec la tiédeur des champs et des bêtes.

Plus, quatre motifs de papier peint où se répètent en écho : des troupeaux en un teint de prairie fanée, des vaisseaux campés sur de brumeux moutons, avec une lanterne que tamise la voile – d'autres vaisseaux matés comme sur des croissants d'astre – et des trains, sur les rails d'un réseau caressant comme un plumage, végétal, géographique, – délurés vers la nue en tronçons de reptile coupé. Chercher maintenant l'harmonie complémentaire de meubles de soies, de fleurs seyant à ces rectes nuances, – à ces motifs espacés musicalement sur la portée des lignes avec la clé de l'écusson exempte de dièse accidentel, clé du jouet souple répété sans mélancolie à la tenture heureuse – et déclarer l'unité un peu sobre de ce que Denis nous présente cette fois.

Félix Vallotton, « Peinture
(chez Le Barc de Boutteville) »,
in *L'Art littéraire*, décembre 1893

« Entre confrères et amis »

Denis est aussi un épistolier prolixe, et de première qualité, avec des correspondants nombreux, et très différents : une édition complète des lettres apporterait beaucoup, sur l'homme et sur son temps. Le ton varie selon les interlocuteurs et les circonstances, mais la pensée est toujours tournée vers l'autre ; à l'inverse, on sait trouver en lui un lecteur au cœur et à l'intelligence attentifs : ce que traduit la confiance émue de Maillol comme l'écriture soigneusement méditée de Valéry.

À Édouard Vuillard

[Rome], 22 février 1898,

Mon cher Vuillard,
[…] Cette confiance en l'instinct qui ne vous trompe pas d'ailleurs, et, qui provient d'une surabondance de dons naturels, cela s'appelle le sensualisme. Les articles ou les opinions de Th. Natanson, par exemple, en sont le développement systématique et en donnent la théorie.

À cette conception se rattachent en esthétique les théories relativistes (sur le beau, vous comprenez?) et en art les tendances impressionnistes.

En morale, en philosophie… mais ce serait trop long.

De l'autre côté Raphaël : c'est, exactement le contraire : théorie du beau idéal, absolu. Effort pour la raison et la science vers le style, qui est comme me souffle Gide, un système de subordinations. Je songe aussi à l'expression *style châtié*, un demi-calembour qui donne bien l'idée d'une pénitence perpétuelle, et j'arrive ainsi à comprendre que l'art classique est fait de sacrifice, aux dépens, si vous voulez, des dons naturels, du travail instinctif, et en faveur du raisonnement et de l'idéal.

Dans le premier cas, le nôtre, il y a exagération de l'individu, de son originalité, le travail capricieux, irrégulier, et saccadé, selon la vie elle-même.

Dans le cas de Raphaël, l'homme disparaît tout à fait dans l'œuvre, et c'est pourquoi ceux qui n'ont pas de dons robustes ne résistent pas à cette discipline (école de Raphaël, de Ingres, etc.) et le travail, au lieu d'être une sorte de compte rendu de l'existence journalière, comporte des entreprises de longue durée.

Voici maintenant où le problème se corse, et c'est là ce que j'ai aperçu de si neuf à Rome, ce qui a motivé l'explosion de ma première lettre : l'habitude du plaisir immédiat, la confiance dans l'instinct et le laisser-aller des théories ont créé un besoin insatiable de plaisir toujours plus direct, et amené un raffinement exagéré de la sensibilité. De là notre exigence au point de vue de l'aspect des œuvres d'art.

Cette tendance est tellement opposée à celle qui a produit les grandes œuvres classiques, que j'en viens à exprimer des inquiétudes à ce sujet, d'une façon très générale, vous entendez bien?

Songez-y un peu, vous verrez que c'est très grave.[…]

Maurice Denis

À Madame de La Laurencie

28 janvier 1904,
Rome 118 via Sistina,

Madame,
Vous savez nos difficultés d'installation; depuis quelques jours seulement nous sommes fixés dans un appartement assez spacieux, où les Mithouard, toujours hostiles à Rome, ont trouvé eux aussi, et tout près de nous, un quartier séparé. Nous les aimons beaucoup, et les soirées sont délicieuses. Mais c'est seulement avec Gide que je retrouve le soir au Pincio, lorsque le soleil disparaît derrière Saint-Pierre, toutes mes émotions d'autrefois. Je les retrouve aussi à la Farnésine, devant les Raphaël du Vatican, sur la voie Appienne, dans quelques vieilles rues encore sales et pittoresques. Mais l'indifférence de Mithouard pour la Beauté « harmonieuse », son horreur de l'italianisme m'ont parfois refroidi devant telle façade exagérée du XVIIe siècle, telle fontaine de Bernin, tel spectacle arrangé et dramatisé par le temps, alors qu'autrefois je vibrais à tout. Il défend l'Occident contre son propre plaisir. J'apprécie le cosmopolitisme de Gide : le croyez-vous ? «C'est ici, m'a dit ce matin M. Guillaume, le vénérable directeur de l'Académie, qu'on résout ses cas de conscience, qu'on se doit interroger sur soi-même, et se demander si ce qu'on y fait est conforme aux principes de l'Art.» M. Guillaume, il est venu à Rome il y a soixante ans, il a vu le Campo Vaccino planté d'arbres, à la place du Forum, et maintenant le Forum est une sorte de musée à ciel ouvert, creusé, fouillé, étiqueté, classé par de froids archéologues. Et moi aussi j'ai vu Rome, il n'y a que six ans, sans bâtisses neuves, comme le Palais de Justice genre Bruxelles, la Synagogue; et le vieux Forum conservait encore quelque pittoresque.

M. Guillaume a raison : il y a à Rome trop d'œuvres classiques, trop de sévérité pour qu'on s'y contente d'un peu d'impressionnisme. Je tente encore, en vain? l'effort de faire mieux.
Au retour, à Valence, où j'espère bien m'arrêter, je confronterai mes études d'après vous, Madame, et d'après vos enfants, avec mes acquisitions d'ici. Que penserai-je du tableau de Valence? J'admire en attendant le blond profil de Mme Mithouard parmi les vieux murs roux et tristes, et je commence un portrait de Mme Denis d'après Raphaël.

Le soleil qui dore les ruines et les jardins ne fait pas que j'oublie les délicieuses journées grises que j'ai passées à Valence. M. de La Laurencie m'a écrit une lettre très affectueuse et je ne sais de mon côté comment vous dire quel souvenir charmant j'ai conservé de vous, Madame, et de votre famille. […].

À Dom Willibrord Verkade

Saint-Germain-en-Laye,
17 novembre 1941

Cher bon ami,
J'ai reçu (par une demoiselle suisse qui est religieuse dans un couvent de Thonon dont j'ai décoré la chapelle), j'ai reçu une lettre de vous, écrite par vous, et je sais que vous êtes encore citoyen de cette terre. Vous dites : pas pour longtemps… Bien, mais c'est Dieu qui décidera. Et moi j'espère avoir encore une réponse de vous, puisque rien ne s'oppose à ce que nous correspondions.

Je voudrais vous donner des nouvelles. Vuillard, mort en juin 1940, pendant l'exode, laisse une œuvre admirable, une des plus belles de tout l'Art français. Roussel, son héritier et beau-frère, a donné une cinquantaine de peintures, pastels et dessins aux musées nationaux, qui représenteront Vuillard comme peu de peintres l'ont été dans nos collections nationales.

Roussel a perdu un œil, et a eu une attaque de paralysie. Un Père bénédictin l'a converti ou presque, et Roussel mourra chrétien. Il peint toujours ses mythologies et admire la peinture de Vuillard avec une sorte de passion généreuse.

Bonnard est sur la Côte d'Azur, donne peu de nouvelles, et son art tellement original attire les marchands au Cannet, car sa peinture se vend très cher.

Nous sommes les survivants d'une génération. Parmi nos morts, je n'oublie pas Sérusier. J'écris un livre sur lui; ce sera la réédition de son A.B.C. précédée de sa vie racontée par un fidèle ami, et je fais un large usage de vos lettres, celles de Sérusier, que m'a prêtées Mme Sérusier : vous avez joliment bien fait de les lui renvoyer. Merci pour cela. J'ai aussi beaucoup de lettres de lui, Voilà qui va le faire mieux connaître. Et, de plus, sa peinture se vend et commence à faire de gros prix ! Enfin !

De moi rien d'autre à dire, que je peins décorations et chemins de croix pour des églises en Savoie. Je deviens sourd, mais la santé se maintient. Je travaille beaucoup. Mes fils sont revenus sains et saufs de la guerre. Tous travaillent. Six petits-enfants, bientôt sept.

Bouleversés par les événements dont je ne parle pas, notre vieillesse n'est pas heureuse. *Fiat voluntas*. Écrivez-moi encore une fois ! avant l'autre vie.

Je vous embrasse.

Maurice Denis

P.-S. – Le 25 novembre, j'entre dans ma soixante-douzième année. Priez pour le vieux camarade qui vous aime beaucoup.

Aristide Maillol à Maurice Denis

Marly-le-Roi [1905],

Cher ami,
Votre carte postale m'a apporté un peu de la fraîcheur de la mer, je voudrais bien être là avec vous, voir les enfants patauger dans le sable et vous, tranquilles à l'ombre, regarder la mer.

Nous restons bêtement à Marly – sans rien faire car le temps a toujours été orageux. Je suis incapable de mener quelque chose à bien. Les nouvelles : Bonnard est arrivé pour trois jours; Roussel est ici aussi depuis deux jours et on vous attend, mais je crois qu'il vaut mieux que vous restiez à la mer car ici le temps n'est pas au travail. Mais je pense à vous, à votre amitié qui m'est précieuse, et je vous écris de longues lettres, que vous ne recevez pas parce que je les écris par la pensée seulement, et puis je me dis que vous savez tout cela, que nos pensées sont communes. À quoi bon écrire puisque vous voyez clair en moi : je l'ai bien vu par l'article que vous élevez comme un monument à ma gloire et qui, je ne vous le cache pas, me rend tout fier – autrement cependant que pour des idées d'orgueil – mais bien parce que je vois réalisé un de mes grands désirs : notre amitié, notre fraternité artistique. Cela me reporte loin au temps de l'école où je pensais à vous et à Gauguin, où je me débattais inutilement, cherchant ce que vous et Gauguin vous aviez trouvé. Le hasard m'a fait rencontrer Gauguin avant vous, mais avec lui l'amitié n'était pas possible.

À cette époque je me rappelle qu'un de mes amis avait cru, en voyant vos peintures aux Indépendants, qu'elles étaient de moi. Je suis donc arrivé à me rapprocher de vous, et à ce point que notre amitié est devenue une chose solide et bien établie. Depuis longtemps je désirais vous dire la joie que j'en ressentais, et ce qui accentue fortement ma joie c'est que nos femmes ont entre elles une vraie sympathie.

Je suis donc toujours avec vous cordialement votre ami.

Aristide Maillol

Paul Valéry à Maurice Denis

[1912]

Mon cher Denis,
J'ai passé quelques jours dans ma chambre – que je n'ai pas perdus. J'avais votre livre pour changer en suspens subtils, en discours silencieux, en gestes, la morosité de l'homme enfermé qu'éclaire son feu de sombres caprices.

J'oubliai de ne pas être un peintre, et je vous ai suivi, arrêté, fait redire, avec une certaine passion.

C'est que j'ai pour la dialectique, un faible ; mais cette propension souvent heurtée par les doctrines des artistes. Je perçois trop vite comme elles sont falsifiées par l'égotisme de la pratique prochaine et de l'œuvre imminente – on conduit mal à son aise une théorie de son art, parce qu'une arrière-pensée panique, une peur sacrée de soi-même vous saisit en pleine analyse et rappelle, avec angoisse, aux actes.

Alors, s'il n'a la finesse ou la force de se borner magnifiquement à des aphorismes d'une densité et d'une réfringence sans prix, l'artiste énonce ses théories : c'est un monologue curieusement personnel, une confession, une plaidoirie, une réclame… où ce qu'il veut faire et faire croire ; ce qu'il veut dissimuler ; son facile et son difficile, ses trous, ses dons, ses feintes, ses bonheurs irréguliers prennent le ton trop pur de la Déesse abstraite.

Mais une théorie, ce serait tout le contraire. J'ai souvent songé à me faire une idée nette, bien séparée, de la peinture, à trouver la région qui lui est propre dans la carte générale de l'expression. Le manque éternel ou de temps ou de paix m'a empêché d'aller jamais bien loin dans cette réflexion, mais votre art m'a paru si complexe, si *essentiellement* complexe, rien qu'à essayer de le situer, que je comprends à merveille la difficulté d'en dire quoi que ce soit qu'un chef-d'œuvre ne contredise. Je puis à peine compter sur mes doigts les conditions indépendantes entr'elles, (dont chacune peut se développer à part, être un art au but particulier) dont il se propose le mélange ou l'équilibre ! Mais il n'est pas question maintenant de mes commencements d'idées : c'est de votre ouvrage que je veux vous parler. Je le tiens non pour « Théories » mais bien plutôt pour « Vies ». Cet Ingres, ce Cézanne, tel Sérusier délicieusement docte, tant d'idées qui n'ont pas fini de se percer l'une l'autre, vingt ans d'interrogative peinture, tout un monde intellectuel qui ne cesse de s'engendrer lui-même et de se dévorer en nous, j'admire comme votre pensée les ranime, les pénètre ou les prolonge. En vérité, j'aime beaucoup que le peintre que vous êtes soit aussi l'écrivain qu'il est. Je ne suis pas de ceux à qui suffit le démon, mais au contraire je trouve qu'il n'y a jamais trop d'intellect. Entre nous, j'aime mieux la « conscience » que le « génie » – ne m'en veuillez pas de ce mauvais goût : il me permet de vous estimer singulièrement, et sous deux lumières.

Un jour que nous serons absents, on s'étonnera du même homme avoir accordé tant d'intelligence avec tant de grâce. On trouvera notre sagesse dans vos compositions tendres et nobles, mais nos tourments dans vos écrits ; et toutes nos factions d'incompatibles spectres, leurs dissensions formelles, leurs cruautés colorées s'y conserveront toutes vives, – comme dans Guichardin et Machiavel, les agitations de Florence.

Tous mes remerciements, mon cher Denis, avec mes amitiés

Paul Valéry

« L'ami seul a parlé » : Denis et Gide

Dans la volumineuse correspondance, le bloc des échanges avec André Gide est à part. Car depuis Urien, *en 1893, puis le séjour romain de 1898, Denis est aussi un lecteur curieux de tout ce que produit l'écrivain ; et c'est alors la confrontation de deux moralistes – le peintre chaleureux et confiant, mais exigeant, Gide avec une certaine distance de plume, mais soucieux d'un avis qu'il sait autorisé.*

Maurice Denis à André Gide

St Germain,
4 mars 1898,

Cher ami,
Je vous écris très vite, au milieu des mille occupations du retour.

Visites aux amis, aux Lerolle où l'on parle beaucoup de vous. J'y raconte nos promenades, j'y commente nos conversations.

L'affaire Zola me semble assez apaisée. On me raconte des excentricités de Degas, à ce propos : qu'il a renvoyé, au milieu d'une séance, un modèle femme qui ne pensait pas comme lui ; qu'il demande aux amis qui viennent le voir, sur la porte, avant de les recevoir, ce qu'ils pensent, et qu'au cas où ils ne sont pas de son avis, il les laisse dans l'escalier…

Je me suis remis à ma chambre de *St Hubert* : j'y travaille au plafond. Mes petites esquisses de Rome vont m'occuper aussi. Il faut passer le temps délicieux des premières visites et des récits.

Je dis à tout le monde que vous avez été la conclusion de mon voyage ; que vos conversations sans Rome m'auraient peu servi, mais que Rome sans vous m'eût été tout à fait inutile ; et que c'est vos éclaircissements sur la méthode en art, parmi le décor sévère de Rome, qui restent le bénéfice le plus certain de mon séjour en Italie.

Trouverez-vous le temps de m'écrire ? Aurez-vous plaisir à le faire ? Je le désire anxieusement, maintenant que je vous connais mieux, et que s'est réveillée plus vive ma vieille amitié pour vous.
Ne manquez pas de dire à Madame Gide le doux souvenir que nous conservons d'elle. Ma femme, absorbée par la difficulté d'une réinstallation, et sans bonne, s'excuse de ne pas écrire tout de suite. Nous prions tous deux Madame Gide d'agréer nos plus tendres sentiments ; et je vous serre la main bien affectueusement.

Maurice Denis

Donnez-nous des nouvelles de *Saül*.
J'oublie de vous dire qu'il y a aujourd'hui 15 centim [ètres] de neige.

3 juillet [1902 ?]

Cher Gide,
Je suis en retard. Il y a longtemps que j'ai lu votre livre. J'hésitais à vous écrire la lettre que voici, où vous vous

étonnerez de mes surprises. Mais ce n'est point par précaution oratoire que je veux vous dire d'abord que votre livre, on ne l'oublie pas, on le lit avec avidité, (je l'ai lu à Paris dans la rue), on le relit, on en a le cauchemar; il est d'une perfection de forme qui en affirme tous les effets, qui en rend le souvenir obsédant. Tous ceux qui discutent du sujet sont d'accord là-dessus. Mais le sujet! Un de vos amis, et c'est l'opinion de plusieurs des miens, soutenait que votre immoraliste ne l'était pas assez, qu'il n'avait fait, ce puritain dévoyé, que changer de principes: et que ceux qui méprisent les vieilles doctrines morales, en sont réduits à attendre de vous une plus complète apologie de la vie.

Je répondais, moi, et pouvais-je répondre autre chose? que votre titre était ironique et votre livre, un tract pour enseigner la vanité du nietzschéisme. Gide nous démontre, ajoutais-je, que l'amoralité est forcément l'immoralité; que le réveil des instincts ne vient pas sans qu'ils se pervertissent; qu'il n'y a pas de volupté licite; on ne fait pas la différence entre celles qui sont normales et les autres. C'est pourquoi il est juste que cet homme de Gide au lieu de fuir au désert comme vous le voulez, docteur Mardrus, (c'était Mardrus) pour y mener une existence débridée, s'en aille finir une vie monotone dans un bureau de ministère.

Et même je songeais, pour introduire quelque conciliation dans une discussion qui n'en comporte aucune, combien serait curieuse une vie de Rubens, ou de Luther mais plutôt de Rubens, écrite par vous. Ce grand sensuel, cet homme de chair qui ne fut cependant ni libertin (au sens de son temps), ni débauché, vous savez qu'il demeura fidèle à ces traditions, à cette morale où l'on vous reproche d'être encore trop attaché; vous savez qu'il se levait à 5 heures, entendait la messe, et se faisait lire à haute voix Plutarque dans le temps qu'il peignait les joies les plus grasses de la vie, toute la féerie des sens et des appétits. Admirable contraste, équilibre que symbolise dans votre livre la belle nature normande.

Cher ami, si j'ai pensé que le Docteur Mardrus vous comprenait moins bien que moi-même, c'est que je désirais ardemment qu'il eût tort. Ô Gide, de tant de scrupules, comme il me serait pénible que votre héros fût semblable à l'idéal de Mardrus! et qu'après *tant* de si belles *tentatives différées*, vous eussiez sacrifié à des dieux qui ne sont pas les vôtres.

Vous ne m'en voudrez pas, j'en suis sûr, de vous avoir dit le mieux que j'ai pu ma pensée. Vous en retiendrez surtout que, sensible toujours plus à votre art, je conserve pour vous-même une amitié – jalouse!

Maurice Denis

Fiesole,
12 décembre 1907,

Cher Gide,
Votre lettre est délicieuse. Je n'y sens nulle fatigue, et vraiment si *La Porte étroite* que vous travaillez, dites-vous, avec effort, et que vous avez abandonnée un instant pour m'écrire, est de la même source, aussi spontanée, jeune, et d'une si belle fraîcheur, ce sera un de vos bons livres. On y verra le Gide que je préfère, celui des anciens jours, celui de Rome, celui de Berlin, celui que le monde ignore, – et qui, pour sa gloire, doit mettre un peu moins de scrupule à se laisser deviner dans ses livres.

Vous voyez que votre lettre, donc, m'a fait un grand plaisir. Je me demandais si les projets de Berlin s'étaient enfin réalisés, et tout en déplorant de ne vous point rencontrer cette fois-ci en Italie, je pensais que la faute en était à vos admirateurs allemands et au succès de *Candaule*.

Vous ne m'en dites rien d'ailleurs. Mais c'est aussi peut-être qu'absorbé par *La Porte étroite* vous vous refusez à des fatigues de voyage un peu superflues.

Vous ne regrettez rien, et j'en suis ravi, de la rencontre projetée à Venise. Il y avait Piot, qui est un passionné d'art, un charmeur, sa femme qui est très belle ; et nous rencontrions aussi le petit ami de Rouart, Rémond, dont peut-être vous avez lu la traduction de Bellori. Le temps était sans nuages. Venise était animée, colorée, splendide. Nous en eûmes vite assez, pour les raisons que vous dites. Notre installation ? suffisante avec très belle vue : c'est dans cet appartement que Mithouard sentit se révéler sa nouvelle vocation, hélas ! d'amant de Venise, au printemps dernier. Sur le quai des Esclavons : nous avions, le matin surtout, une mer d'un bleu tendre rayé de jaune pâle, inoubliable. Mais nous nous sentions étrangers : au bout d'un mois, pas la moindre acclimatation. Le pittoresque menu, un peu « carte postale », des petits canaux est à la fin aussi lassant que l'odeur fade des eaux sales et l'ingéniosité vraiment juive des exploiteurs de cette ville cadavre. Carpaccio, Tintoret, les mosaïques, des aspects de Torcello et de la lagune demeurent comme des spectacles de grande beauté parmi toutes sortes de médiocrités, de mesquineries et de bariolages. Les enfants s'ennuyaient, sauf au Lido, où il y avait en septembre les plus beaux corps nus que j'eusse jamais vus : au soleil, un peuple de tous les bronzes, et de tous les cuivres. J'ai fait de cela une grande esquisse que j'appellerai : *Haïatalnefous* ou *Les Captifs*. Vous auriez aimé ces chairs dorées, et les attitudes fatiguées de ces gens qui tout simplement prenaient lentement des bains de soleil.

La joie des enfants en voyant les tramways de Bologne ! Enfin c'était donc la terre ferme, quelque chose de solide. Sur cette impression d'avoir quitté un paradis artificiel, j'ai écrit des cartes un peu vives à mon cher Mithouard, qui je le crains en a été fâché : car depuis, il ne m'a pas écrit. Pourtant, ni Ravenne, ni Ferrare, ni Bologne, ni Vérone, ni Mantoue (où, cependant, Mantegna et Jules Romain) ne m'ont donné la profonde émotion de l'arrivée en Toscane. L'olivier et les cyprès, les lignes des montagnes, l'*aria fine*, je ne sais quoi qui m'émeut chaque fois que je revois ce merveilleux pays – je l'ai retrouvé à Pistoia. Puis, Florence revue sans fièvre, nous nous installons à Fiesole, dans une petite villa où il y a deux belles terrasses et la vue la plus vaste. Nous sommes maintenant à la fin de notre séjour ; mon père est souffrant, je ne puis prolonger ici. Mais ni ma femme ni les enfants ne sont rassasiés de la vie monotone et solitaire que nous menons ici depuis deux mois dans le calme de Fiesole.

J'ai beaucoup travaillé, sans je crois grands résultats, sans découvertes. J'ai préparé ma future *Psyché* (de Moscou) qui sera bien chaste auprès de celle de Jules Romain. J'ai quelques tableaux. Beaucoup moins de notes et de croquis qu'au dernier voyage – Je suis très reposé, très calme. Je vais rentrer et finir mes grandes toiles commencées au mois de Juillet, puis entreprendre *Psyché*.

Vasari m'aura beaucoup aidé à me libérer des préoccupations modernes d'art compliqué. Avec quelle fièvre les *quattrocentisti* s'appliquaient à faire œuvre d'artisans ! Quel romantisme, quelle passion, dans leur probité !

Le temps est maussade, pluvieux, orageux. Nous ne sortons guère que vers le soir ; je promène les petites dans la montagne, nous allons au salut dans les chapelles, nous voyons s'allumer les petites boutiques de Fiesole, et la vie de ce village est à peu près toute notre distraction quotidienne. Les enfants travaillent aussi, apprennent l'italien, et sont joyeuses.

Je vous ai beaucoup parlé de nous, de moi, vous l'attendiez. Si vous avez le temps vous me ferez plaisir de m'écrire. Mais surtout, *La Porte étroite* ! – Nos meilleures amitiés à Madame Gide et à vous

Maurice Denis

De sincères encouragements

La grande rétrospective Denis, en 1924 au pavillon de Marsan à Paris, où figure le Cézanne qui appartient toujours à Gide, est l'occasion d'un échange révélateur : éloge encourageant, et plus que formel, de l'écrivain, et remerciements émus du peintre, alors dans une douloureuse période de doute.

13 mai 1924,

L'*Hommage à Cézanne* est venu aujourd'hui reprendre sa place et combler le grand vide qu'il laissait au mur. Cette redispersion de vos toiles a quelque chose d'assez mélancolique et je pense à vous tout particulièrement ce soir. La réussite de votre exposition a dépassé toute attente. J'y ai couru le lendemain de mon retour du Midi ; et, si je ne vous ai pas écrit tout aussitôt, c'est que j'ai pensé que le témoignage amical de mon admiration trouverait peut-être un écho plus sensible aujourd'hui. Vous aurez connu cette grande et profonde joie de vous être réalisé avec force, plénitude et grâce. Nulle hésitation, nulle divagation inutile, nulle embardée ; une secrète unité de conscience relie chaque toile à votre œuvre totale et à vous-même. Les « jeunes » y peuvent puiser un salutaire enseignement. Mais ce que je voudrais vous dire à présent, c'est que vous ne devez pas considérer votre œuvre comme achevée, si importante déjà soit-elle. La petite exposition chez Druet nous a montré avec une très particulière éloquence tout ce que nous sommes encore en droit d'attendre de vous.

Nous avons pu voir autour de nous, à notre âge, tant d'avortements, de désertions et de faillites, que de songer à vous, cher compagnon du début de ma vie, m'est un précieux réconfort.

Veuillez présenter à Mme Maurice Denis, je vous prie, mes affectueux hommages, et croire à ma fidèle amitié.

André Gide

Paris, 20 mai 1924,

Mon cher André Gide,
Je relis votre lettre. Je suis en retard pour y répondre. C'est que je voulais que ma réponse fût digne de la lettre. Je n'osais pas vous répondre simplement et par un élan du cœur. Je n'ai rien trouvé qui fût de l'art, je ne puis vous dire que mon émotion. Ni le poète ni le critique : l'ami seul a parlé ; il a parlé du réconfort qu'il trouve dans l'œuvre d'un compagnon qui lui reste cher. De Bonnard et de Vuillard j'ai recueilli le même sentiment fraternel. Et vous m'encouragez ! C'est le point qui m'est le plus sensible. Ai-je encore un avenir ? Tout mon passé, nous l'avons revu, avec piété, avec mélancolie, dure épreuve pour moi. Votre confiance m'assure du moins que notre amitié n'a point vieilli. J'avoue que je le craignais. C'est pourquoi votre lettre m'a si profondément touché. Je vous remercie. *Quantum jucundum fratres in unum*. J'imagine que Mme André Gide est quelque part, dans cette sympathie qui nous lie, sur un sommet ; dites-lui combien j'ai aimé votre lettre. Je vous serre cordialement les mains.

Maurice Denis

Libres opinions

Ne refusant jamais le débat, Denis a tenu à répondre à de très nombreuses enquêtes – un des genres journalistiques favoris de l'époque ; parfois de manière un peu expéditive, comme auprès de Charles Morice en 1905, parfois pour polémiquer dans son camp, comme avec Louis Dimier en 1911. Avec La Plume, Les Arts de la vie, *et* L'Art social *de Roger Marx, dans les années 1900, ce sont les questions centrales de l'éducation du public et du rôle de l'État qui sont abordées, à rebours de l'air du temps.*

Sur l'éducation artistique

Comment, Monsieur, vous trouvez que le public actuel n'est pas assez instruit des questions d'art ? Mais il sait tout, ayant tout appris. Il ne juge plus comme il faut bien supposer qu'il jugeait jadis, avec son bon sens naturel : les critiques l'ont renseigné, lui ont indiqué à coup sûr ce qu'il doit applaudir au concert, admirer au Salon, acheter à l'Hôtel. Il sait pourquoi, en outre : il en discute serré, il donne ses raisons. Dire qu'il connaît les *principes* de l'Art serait exagéré : il n'y a plus de principes, il n'y a que des théories. Mais la *langue* ? il la parle mieux que nous ; et quant à l'*histoire* il en est saturé. Depuis le livre d'étrennes jusqu'aux journaux quotidiens tout contribue à l'instruire. Il sait ce qu'il faut penser de la musicalité intense des derniers quatuors de Beethoven, il détaille les symboles cachés dans chaque phrase de Tristan : il n'ignore pas que les tableaux du Vinci sont, en réalité, des Ridolfo Ghirlandaio…

Vous me permettrez, Monsieur, de penser que c'est à cet extraordinaire excès de culture qu'il faut attribuer la « décadence » du sens artistique chez ces curieux renseignés qu'on désigne à Paris sous le nom de public, lesquels n'apportent plus, hélas ! devant nos travaux, la moindre ignorance ou quelque ingénuité.

Ah ! qui nous rendra l'honnête amateur d'autrefois, l'innocent fermier général qui se plaisait naïvement à la grâce de Fragonard, à la vertu de Greuze, sans s'interroger là devant, sur les « valeurs », « l'atmosphère », « l'esthétique allemande » ou « la théorie de l'impressionnisme ! »

S'il s'agit du Peuple, avec un grand P, de ce Peuple qu'on déclare généralement infaillible en matière de droit, de politique, de morale, de philosophie, et qu'on reconnaît aussi unanimement incapable de distinguer ce qui est beau de ce qui est laid, – s'il s'agit du Peuple, je ne vois pas que son éducation ait été négligée depuis une vingtaine d'années ; j'espère qu'on l'a assez gavé de cours, de musées, de conférences, d'auditions, de lectures. Les résultats, nous les connaissons, ils sont lamentables.

Or, c'est de ce peuple irrémédiablement ignorant et grossier que sont sortis les plus raffinés, les plus harmonieux de nos peintres et de nos musiciens, un Poussin, un Watteau, un Cl. Lorrain, un Corot, un Renoir, un Mozart, un Debussy !

En vertu de quelles lois mystérieuses ? Mais c'est de quoi se consoler amplement de tant d'efforts inutiles et naïvement prétentieux, pour doter les « Masses » du « sens de la Beauté ».

Qu'on l'instruise ou non, la multitude « sans idées, sans lumières », produit spontanément les purs génies qui créent de la Beauté, ce qui est mieux que de l'enseigner.

Maurice Denis, « Réponse à l'enquête sur l'éducation artistique », in *La Plume*, n° 334, 15 mars 1903

Sur l'art social

Centralisation à outrance, étatisme et surtout timidité des capitalistes français, depuis longtemps connue, mais actuellement augmentée du malaise politique. En Allemagne, les sommes consacrées à la création des Kunstgeverbeschüle et dues à l'initiative privée sont considérables.

La décentralisation existant en Allemagne, chaque grande ville, chaque chambre de commerce tient à concurrencer les villes rivales ; de là une émulation inouïe. Un jeune homme de Carlsruhe, qui fréquente l'atelier Ranson, m'a donné des détails sur l'organisation luxueuse de ces écoles où les élèves ont des fonds disponibles pour acheter eux-mêmes les animaux (chevaux, etc.) qui servent de modèles pour des interprétations décoratives. À Carlsruhe, chaque élève a un atelier à lui ; il y a soixante-dix ateliers dans l'établissement. Le papier, les crayons, couleurs, etc., sont fournis gratuitement. Et ce n'est pas l'État qui paye, c'est la ville, c'est-à-dire les industriels de Carlsruhe.

Nous n'avons dans ce genre que la *Schola Cantorum* ; elle donne de merveilleux résultats.

Un autre point de vue, c'est que ce qui persiste en France, ce sont les industries d'art qui se rapportent à la toilette féminine.

Cela c'est un fait. Quelles conclusions en tirer ? D'abord, il n'y a pas d'école de la mode. Il n'y a que des initiatives privées ; elles sont prospères. Ensuite, nous surprenons ici l'influence d'une aristocratie qui donne le ton. La moindre modiste de province *suit la mode* comme elle peut ! Pourquoi n'avons-nous pas une aristocratie qui donne le ton pour les arts du meuble, etc. ? Ce n'est pas les universités populaires et les conférences faites au peuple sur la beauté qui le rendront esthète ou esthéticien. Il s'en f... Ce qui le passionne, c'est le café-concert ou les inventions mécaniques. S'il achète des objets usuels, il choisit toujours à égalité de prix les plus laids.

On s'illusionne sur la généralité de l'effort allemand. Ce qui domine encore là-bas, dans le peuple, c'est le goût que Barrès décrit dans *Colette Baudoche*. – Mais il y a une aristocratie audacieuse : allez à Weimar et faites-vous montrer l'établissement de van de Velde ; c'est le comte Kessler, aidé d'une grande-duchesse et de quelques grands seigneurs, qui est l'auteur de tout cela.

Et le résultat est loin d'être *social*, encore moins *populaire*.

Toutes les écoles d'art du passé ont débuté ainsi ; c'est une élite qui les a imposées au peuple – comme c'est le goût de deux ou trois grandes mondaines et d'un couturier qui dicte la mode des robes et des chapeaux.

La supériorité de la France, autrefois, dans les arts appliqués et maintenant encore dans les arts majeurs, tient à la qualité de notre sensibilité. Là où le machinisme est possible (en France ou ailleurs), la sensibilité de l'artisan est presque sans valeur : on peut la sacrifier. Chez nous, pas ! De là, l'impossibilité de concilier la fabrication industrielle et l'art en France.

Maurice Denis, «Réponse à l'enquête de Roger-Marx sur l'art social» [1909], in *L'Art social*, 1913

Sur la séparation des Beaux-Arts et de l'État

Vous me pardonnerez de partager sur bien des points l'avis de Jacques Blanche… Ce n'est pas que je l'approuve d'avoir posé ma candidature à la succession de M. Guillaume : tout de même je ne suis pas encore assez « professeur » !

Mais comprenez bien que ce que nous défendons contre vous, ce n'est pas la virtuosité, les formules, la tyrannie, etc., mais simplement la « notion d'enseignement ». Où voyez-vous qu'il y ait un dogmatisme d'État ? Jamais les jeunes artistes n'ont été plus libres, plus dégagés de toute discipline. Je n'ai, pour ma part, subi aucune contrainte. Sans maîtres, sans métier, sans doctrine, le premier venu expose, et fait apprécier un talent original. C'est l'époque des tempéraments, des personnalités. Chacun se forme à l'écart, et s'essaye de recréer, tel Robinson dans son île, par sa seule expérience, par la force de son génie, son esthétique et sa technique. Ah ! si la vie n'était si courte ! – Il est vrai que quelques jeunes gens se singularisent en fréquentant l'École des Beaux-Arts (au lieu des Académies non subventionnées où l'enseignement est tout aussi nul) ; la nouvelle loi militaire, en supprimant les avantages qui motivaient, le plus souvent, leur effort, aura tôt fait de les en détourner ; et je ne vois pas qu'ils constituent un péril pour l'Art national.

Il n'y a plus d'Art national, il n'y a plus d'enseignement, c'est l'anarchie. On réclame une Tradition. Lisez dans le dernier *Occident* l'excellente préface aux « Discours de Reynolds », où Émile Bernard proclame la faillite de l'Art individualiste. Si Gauguin avait vécu, il serait devenu le champion de l'École des Beaux-Arts ; rappelez-vous son admiration pour la doctrine constructive d'Ingres. Nous n'avons cessé, dans notre génération, de demander à tous les échos une discipline, une méthode, d'invoquer l'expérience des Maîtres, d'interroger le Passé. L'enseignement officiel ne nous offrait aucune idée générale, aucune technique ; la nature, rien que la nature ! pas de conventions ! copier bêtement ! être soi-même ! C'est de l'excès même de la liberté qu'était né parmi nous – synthétistes, symbolistes, traditionnistes, – le besoin d'une contrainte. Dans l'immense confusion intellectuelle de l'heure présente, il arrive qu'au lieu de maintenir le goût classique du XVIIe siècle français, l'École ne fait plus qu'enseigner le « succès » du dernier salon. Je cherche en vain, dans les conseils que j'ai reçus d'un Lefebvre, d'un Bouguereau, l'apparence d'une doctrine, quelque chose de systématique, qui motive l'anticléricalisme de votre vocabulaire. Qu'est-ce que l'État Pape, le Credo académique, l'Église d'Art, les Dogmes intangibles, la Congrégation de l'Institut ? Voyez la série des Prix de Rome et des Concours d'esquisses ; c'est un raccourci assez curieux de l'évolution de l'Art français depuis le XVIIe siècle jusqu'à Bastien-Lepage, Gustave Moreau, les Impressionnistes, Cottet, etc. ! toutes les modes y sont successivement représentées, l'École est un calque fidèle de l'état d'esprit du Public : elle résume le goût des majorités ; ce serait un contresens que l'État démocratique entreprît de la supprimer. Mais elle sera toujours en opposition avec cette petite aristocratie d'artistes et de raffinés, que vous aimez, et qui renouvellent incessamment les formes de l'Art. En étendant aux Académies la discipline corporative, l'Ancien Régime avait su utiliser les médiocres, toujours plus nombreux que les génies, et en faire d'excellents artisans. Colbert écrivait à Le Nôtre, alors en Italie : « Vous avez raison de dire que le génie et le bon goût viennent de Dieu et qu'il est très difficile de les donner aux hommes… Mais quoique nous ne tirions pas de grands sujets de ces académies, elles ne laissent pas de servir à perfectionner les ouvriers, et à nous en donner de meilleurs qu'il n'y en ait jamais eu en France. »

Voilà un sens profond de la réalité. C'est à ce système-là que nous devons, au-dessous d'un Poussin, d'un Lebrun, d'un Watteau, d'un Chardin, cette excellente « moyenne d'art » du XVIIe et du XVIIIe siècle. Eh ! qui de nous est assuré d'avoir du génie ! la meilleure éducation est celle qui comprime ; utile aux faibles, elle exalte les forts. Croyez-vous qu'il ne serait pas plus sage de rechercher les moyens d'amener (à la suite de Gustave Moreau que tant de jeunes regrettent) les Maîtres de l'Art moderne à exercer délibérément leur influence, et plutôt que de démolir l'École, d'y réinstaller grâce à eux un véritable enseignement ?

[…] Enfin laissez-moi douter de l'opportunité de la Séparation que vous proposez. Actuellement l'État centralise tout, absorbe tout : il se substitue à la famille, accapare nos enfants, monopolise l'enseignement. Il y a une philosophie d'État, pourquoi pas un Art d'État ? et d'ailleurs nous allons au collectivisme. Admettez que Candaule – selon la fable d'André Gide – Candaule, bourgeois intellectuel, se laisse dépouiller par Gygès le Pauvre, celui-ci rétablira le Budget des Beaux-Arts. Dans la Société future, l'artiste ne travaillera que pour l'État ! Ce n'est pas en soi un mauvais système ; j'entends que les giottesques salariés par les Républiques et les Couvents d'Italie, les Gothiques au service des Communes, Lebrun et ses élèves dans les Palais du Grand-Roi, ont fait d'excellente besogne. Ils avaient une Foi, une doctrine. Mais aux artistes de l'Avenir, quel idéal offrira-t-on ?

Quoi qu'il en soit, si dès maintenant on retire, comme vous le souhaitez, à l'Institut et à l'École, le Budget des Beaux-Arts, les fonds ne feront, j'en suis sûr, que changer de destination. On augmentera la liste des bourses de voyage : ce serait parfait si l'exposition organisée chez Durand-Ruel par les boursiers des vingt premières années de cette institution, n'avait montré, autant que les envois de Rome, et sauf de très rares exceptions, une lamentable médiocrité. On subventionnera les sociétés d'Art populaire, d'Esthétique sociale : quels résultats donnent-elles, autres que politiques ? Certains prévoient déjà, dans l'*Humanité* et même dans votre Revue, les différences à établir entre les groupements, ceux qu'il faudra encourager, et les autres : c'est ainsi qu'on exclut, d'avance, des libéralités de l'État, à cause de Saint Grégoire et de M. d'Indy, la « Schola Cantorum ».

Je ne puis croire que vous soyez sans craintes sur les avantages que nous réserve un semblable régime de liberté. Il est dangereux, au moins dans les projets de réformes, de mêler l'Art de trop près à la vie. Je termine là ces réflexions, satisfait de me trouver sur ce dernier point, j'en ai la conviction, en parfait accord avec vous.

Maurice Denis, « Réponse à l'enquête de Gabriel Mourey sur la séparation des Beaux-Arts et de l'État », *Les Arts de la Vie*, octobre 1904, repris dans *Théories*, 1912

BIBLIOGRAPHIE

On trouvera une approche bibliographique développée dans Russel T. Clement, *Four French Symbolists, A Sourcebook on Pierre Puvis de Chavannes, Gustave Moreau, Odilon Redon, and Maurice Denis,* Wesport, Londres, Greenwood Press, 1996.

Écrits de Maurice Denis

- *Journal*, Paris, La Colombe, t. 1 (1884-1904), t. 2 (1905-1920) et t. 3 (1921-1943), Paris, La Colombe, 1957-1959.
- *Théories, 1890-1910, Du Symbolisme et de Gauguin vers un nouvel ordre classique,* Paris, Bibliothèque de l'Occident, 1912, 3e éd., Paris, Rouart et Watelin, 1920.
- *Nouvelles Théories*, Paris, Rouart et Watelin, 1922.
- *Charmes et leçons de l'Italie*, Paris, Armand Colin, 1933, 3e éd., 1947.
- *Histoire de l'art religieux*, Paris, Flammarion, 1939.
- *Correspondance Jacques-Émile Blanche - Maurice Denis (1901-1939)*, Georges-Paul Collet éd., Genève, Droz, 1989.
- *Le Ciel et l'Arcadie*, Jean-Paul Bouillon éd., Paris, Hermann, 1993 (avec une bibliographie étendue des nombreux textes publiés par Denis).
- *Correspondance André Gide – Maurice Denis*, Pierre Masson, Carina Schäfer et Claire Denis éd. , Paris, Gallimard, 2006.

Livres et articles

- Suzanne Barazzetti-Demoulin, *Maurice Denis 25 novembre 1870-13 novembre 1943*, Paris, Bernard Grasset, 1945.
- *Musée du Prieuré, Symbolistes et Nabis, Maurice Denis et son temps*, catalogue de la donation Denis au musée du Prieuré, par Geneviève Aitken, Marianne Barbey, Claire Denis, Anne Gruson, Juliana Montfort, Musée départemental du Prieuré, Saint-Germain-en-Laye, 1980 (2e édition augmentée, 1985).
- *Musée du Prieuré, Cinq années d'acquisitions, 1980-1985*, catalogue par Marie-Amélie Anquetil, Marianne Barbey, Georges Gomez y Caceres, Musée départemental du Prieuré, Saint-Germain-en-Laye, 1985.
- Claire Frèches-Thory et Antoine Terrasse, *Les Nabis*, Paris, Flammarion, 1990.
- Jean-Paul Bouillon, *Maurice Denis*, Genève, Skira, 1993 (avec une bibliographie étendue jusqu'à cette date).
- Jean-Paul Bouillon, « Maillol et Denis, "fraternité artistique" et moment historique », *Aristide Maillol* (Ursel Berger et Jörg Zutter éd.), Musée des Beaux-Arts de Lausanne et Paris, Flammarion, 1996.
- Agnès Delannoy, *Symbolistes et Nabis, Maurice Denis et son temps, dix ans d'enrichissement du Patrimoine*, Paris, Somogy, 1996.
- Carina Schäfer, *Maurice Denis et le comte Kessler (1902-1913),* Francfort, Peter Lang, 1997.
- Jean-Paul Bouillon, « Maurice Denis », *Allgemeines Künstlerlexikon*, vol. 26, Munich, K.G. Saur, 2000.
- Jean-Paul Bouillon, « Maurice Denis et la réaction à l'impressionnisme de Monet », *Monet, Atti del convegno*, ouvrage de Rodolphe Rapetti, MaryAnne Stevens, Michael Zimmermann, Marco Goldin, Conegliano, Linea d'Ombra Libri, 2003.
- Jean-Paul Bouillon, « Vuillard et Denis : le tournant classique de 1898 », *48/14. La revue du musée d'Orsay*, n° 17, automne 2003.
- Agnès Delannoy, *Maurice Denis,* Paris, Cercle d'art, 2004.
- Jean-Paul Bouillon, *Maurice Denis,* Paris, Somogy, 2006.

Catalogues d'exposition

- *Maurice Denis*, cat. par Anne Dayez, Paris, Orangerie des Tuileries, 1970.
- *Maurice Denis*, textes d'Ursula Perucchi-Petri et Dominique Maurice-Denis, Tokyo, musée

national d'Art occidental et Kyoto, musée national d'Art moderne, 1981.
- *Maurice Denis et la Bretagne, Maurice Denis à Perros-Guirec*, textes de Geneviève Lacambre et Denise Delouche, cat. par Claire Denis et Anne Gruson, Perros-Guirec, Maison des Traouïeros et Musée de Morlaix, 1985.
- *Maurice Denis 1870-1943,* cat. par Anisabelle Berès, Paris, galerie Huguette Berès, 1992.
- *Die Nabis Propheten der Moderne,* Claire Frèche-Thory et Ursula Perucchi-Petri éd., Zürich, Kunsthaus Zürich, et *Nabis, 1888-1900*, Paris, Galeries nationales du Grand Palais, 1993.
- *Maurice Denis 1870-1943*, textes de Guy Cogeval, Claire Denis *et al*, Lyon, musée des Beaux-Arts, 1994, puis Cologne, Liverpool, Amsterdam, 1995.
- *Lumières de Sable, plages de Maurice Denis*, Saint-Germain-en-Laye, musée départemental Maurice Denis « Le Prieuré », juin-sept. 1997.
- *Le Temps des Nabis,* Guy Cogeval, éd., Montréal, musée des Beaux-Arts de Montréal, 1998.
- *Maurice Denis : La Légende de saint Hubert, 1896-1897*, Saint-Germain-en-Laye, musée départemental Maurice Denis « Le Prieuré », juin-octobre 1999.
- *Un nouveau regard sur Maurice Denis, La collection Eugène Chevalier*, cat. par Brigitte Maurice-Chabard, Autun, musée Rolin, 1996.
- *Beyond the Easel: Decorative painting by Bonnard, Vuillard, Denis, and Roussel, 1890-1930,* Gloria Groom éd., Chicago, The Art Institute of Chicago, 2001.
- *Maurice Denis,* Jean-Paul Bouillon éd., Paris, musée d'Orsay, 2006, puis Montréal et Rovereto, 2007.

Catalogue raisonné

- Catalogue général raisonné en préparation sous la direction de Claire Denis, avec la collaboration de Marianne Barbey, Carina Schäfer, Fabienne Stahl.
Merci d'envoyer toute information sur Maurice Denis à : catalogue@mauricedenis.com

« LE PRIEURÉ »

Créé par le Conseil général des Yvelines en 1976 à la faveur d'une importante donation consentie par la famille Denis, le musée départemental Maurice Denis « Le Prieuré » a ouvert ses portes en 1980. Installé dans l'ancienne demeure de l'artiste, il est consacré aux artistes symbolistes et nabis, à Maurice Denis et son temps.
www.musee-mauricedenis.fr

TABLE DES ILLUSTRATIONS

au berger d'Édouard Dujardin, 1892, lithographie en quatre couleurs, 18,2 x 8,8 cm. Coll. part.
20 Pierre Puvis de Chavannes, *L'Enfance de sainte Geneviève,* détail, 1874, huile sur toile marouflée. Paris, Panthéon.
21h Extrait de « Définition du néo-traditionnisme », *in Art et Critique*, n° 65, 23 août 1890.
21b *Mystère de Pâques*, 1891, huile sur toile, 104 x 102 cm. Chicago, The Art Institute of Chicago.
22 *Octobre*, 1891, huile sur toile, 38,2 x 61,2 cm. Paris, musée d'Orsay.
22-23 *Éventail des fiançailles*, 1891, gouache sur papier, h. 30 cm. Musée Maurice Denis.
23h *Marthe fiancée*, 1891, pastel, 30 x 25 cm. Paris, musée d'Orsay.

CHAPITRE 2

24 *La Cuisinière*, 1893, huile sur toile, 82 x 60 cm. Coll. part.
25 Frontispice pour *La Damoiselle élue* de Claude Debussy, 1892, lithographie en trois couleurs, 29,5 x 11,3 cm. Coll. part.
26 *Les Communiantes*, illustration pour *Sagesse* de Paul Verlaine, bois gravé, 1891. Coll. part.
27h *Allégorie mystique,* dit aussi *La Tasse de thé*, 1892, huile sur toile, 46 x 55 cm. Coll. part.
27b Bois original de *L'Ennemi se déguise en l'Ennui*, illustration pour *Sagesse* de Paul Verlaine, 1891. Coll. part.
28h Programme de l'exposition « Maurice Denis » chez Le Barc de Boutteville, 1893, lithographie, 24,5 x 14,7 cm. Coll. part.
28b Affiche pour *La Dépêche de Toulouse*, 1892, lithographie en quatre couleurs, 148 x 98 cm. Coll. part.
29 *Portrait de Monsieur Huc*, 1892, huile sur carton, 28,5 x 53,5 cm. Birmingham, The Barber Institute of Art.
30h *Jeune Fille endormie,* dit aussi *Dormeuse*, 1892, huile sur toile, 38 x 61 cm. Bayonne, musée Bonnat.
30b Marthe de dos, photographie vers 1904. Coll. part.
31 *Sancta Martha*, 1893, huile sur toile, 46 x 38 cm. Collection Josefowitz.
32 *Les Muses*, 1893, huile sur toile, 168 x 135 cm. Paris, musée d'Orsay.
33 *Portrait de jeune fille dans un décor de soir*, dit aussi *Marthe symboliste*, 1892, huile sur toile, 130 x 71 cm. Niigata, Prefectural Museum of Modern Art.
34 Dessin pour le programme de *Pelléas et Mélisande* de Maurice Maeterlinck, 1893, crayon, 14,8 x 8,2 cm. Coll. part.
35 *Le Menuet de la Princesse Maleine*, dit aussi *Marthe au piano*, 1891, huile sur toile, 95,7 x 60 cm. Paris, musée d'Orsay.
36h *Procession pascale*, 1892, huile sur toile, 56 x 81 cm. Coll. part.
36b *Les Régates à Perros-Guirec*, vers 1892, huile sur toile, 41 x 32 cm. Quimper, musée des Beaux-Arts, dépôt du musée d'Orsay.
37h Illustration pour *Le Voyage d'Urien*, par André Gide et Maurice Denis, Bailly, 1893, lithographie en deux couleurs.
37 Extrait de la page de titre du *Voyage d'Urien*, Bailly, 1893.
38 *Paysage de Loctudy*, 1894, huile sur carton, 45 x 38 cm. Coll. part.
39 *Sacré Cœur crucifié*, 1894, huile sur toile, 131 x 61 cm. Coll. part.
40 *Soir trinitaire*, 1891, huile sur toile, 105 x 72 cm. Coll. part.
41h *Tendresse*, 1893, lithographie en quatre couleurs, 29,8 x 25 cm. Coll. part.
41b *La Dame au jardin clos*, dit aussi *Nu aux bouquets de violettes*, 1894, huile sur toile, 55 x 74,5 cm. Coll. part.
42 *Femmes au ruisseau*, 1894, gouache préparatoire pour un vitrail, 143 x 71 cm. Musée Maurice Denis.
43hd Fascicule de présentation pour les quatre motifs de papier peint exposés chez Le Barc de Boutteville, 1893. Coll. part.
43hg *Les Bateaux roses*, 1895, gouache préparatoire pour papier peint, 79 x 50 cm. Musée Maurice Denis.
43b *Paravent aux colombes*, 1895-1896, huile sur toile, quatre panneaux de 164 x 54 cm. Coll. part.
44 *Avril*, plafond, 1894, huile sur toile, diamètre 200 cm. Coll. part.
45 *Arabesques poétiques pour la décoration d'un plafond*, dit aussi *L'Échelle dans le feuillage*, 1892, huile sur toile, 235 x 172 cm. Musée Maurice Denis.
46h *Maternité à la pomme*, 1897, huile sur toile, 69 x 51 cm. Coll. part.
46b Faire-part de naissance de Noële et de Bernadette, 1896 et 1899, lithographies. Coll. part.
47 *Le Dessert au jardin*, 1897, huile sur toile, 100 x 120 cm. Musée Maurice Denis.
48h *Le Départ*, panneau de *La Légende de saint Hubert*, 1897, huile sur toile, 225 x 184 cm. Musée Maurice Denis.
48h *Le Lâcher de chiens*, panneau de *La Légende de saint Hubert, idem.*
48h *Le Bien Aller,* panneau de *La Légende de saint Hubert, idem.*
48-49h *Le Miracle,* panneau de *La Légende de saint Hubert,* 1897, huile sur toile, 225 x 215 cm. *Idem.*
48b *Le Miracle* (détail), *idem.*

CHAPITRE 3

CHAPITRE 4

74 *Autoportrait devant Le Prieuré*, détail, 1921, huile sur toile, 71 x 78 cm. Musée Maurice Denis.
75 Affiche de *L'Œuvre des campagnes*, 1922, lithographie en quatre couleurs, 50 x 65 cm. Coll. part.
76h *Autoportrait devant Le Prieuré*, 1916, huile sur toile, 68 x 80 cm. Florence, musée des Offices.
76b Photographie de la chapelle du Prieuré, vers 1919-1921. Coll. part.
77h *Les Noces de Cana*, gouache préparatoire pour l'un des dix vitraux de l'église Notre-Dame du Raincy, 1924, gouache sur papier, 30 x 28 cm. Coll. part.
77b *Vitrail de l'Assomption*, église Notre-Dame du Raincy, 1924.
78 Détail du faire-part de la mort de Marthe, 1919, lithographie. Coll. part.
79h *La Résurrection de Lazare*, 1919, huile sur toile, 129 x 161 cm. Coll. part.
79b *Madone aux hortensias*, 1924, huile sur toile, 115 x 130 cm. Coll. part.
80h Projet d'affiche pour les Ateliers d'art sacré, 1919, crayon et craie sur papier vert, 27 x 21,7 cm. Coll. part.
80b Esquisses de costumes pour *La Légende de Saint Christophe*, opéra de Vincent d'Indy, 1920. Coll. part.
81 *Le Torrent*, gouache préparatoire pour un décor de *La Légende de saint Christophe*, opéra de Vincent d'Indy, 1920, huile sur carton, 39 x 53 cm. Coll. part.
82h *Le Bateau fleuri*, dit aussi *Régates à Ploumanach*, 1921, huile sur toile, 114 x 88 cm. Kurashiki, musée Ohara.
82b *Dominique sur l'Isard*, esquisse préparatoire, vers 1923, huile sur carton, 37 x 25 cm. Coll. part.
83h Détail de l'*Histoire de l'Art français*, décor de la coupole Dutuit du Petit Palais, à Paris, 1925.
83b Maurice Denis sur le chantier du Petit Palais, à Paris, photographie, 1925. Archives de Maistre.

84-85 Extrait d'un carnet de croquis réalisés en Algérie, Sicile et Italie, 1921, crayon et gouache sur papier. Coll. part.
84b *Piazza Pretoria, Palerme*, 1921, huile sur carton montée sur panneau, 44 x 63 cm. Coll. part.
85b Extrait d'un carnet de croquis réalisés en Afrique du Nord, 1921, crayon et gouache sur papier. Coll. part.

CHAPITRE 5

86 *La Pentecôte*, décor mural de l'abside de l'église du Saint-Esprit, à Paris, 1934.
87 Le bureau de Maurice Denis au Prieuré, photographie années 1930-1940. Coll. part.
88 Édouard Vuillard, *Maurice Denis [dans la chapelle de Rouen]*, vers 1930, peinture à la colle sur toile, 116 x 140,6 cm. Paris, musée d'Art moderne de la Ville de Paris.
89 *La Glorification de Saint-Louis*, décor de l'abside de l'église Saint-Louis de Vincennes, 1927.
90h Maurice Denis travaillant à un décor mural au Bureau international du travail de Genève, photographie, 1931. Coll. part.
90b Photographie *in situ* de *La Force dans la Paix*, panneau décoratif pour la salle d'assemblée de la Société des nations à Genève, 1938.
91 *La Musique profane*, panneau décoratif pour la galerie latérale du théâtre du Palais de Chaillot, à Paris, 1937.
92b *Plage au bateau rose*, dit aussi *Plage à la mer jaune*, 1927, huile sur toile, 67 x 92,5 cm. Coll. part.
92h Frontispice de l'*Histoire de l'art religieux*, par Maurice Denis, Flammarion, 1939.
93 *Quai au bord de l'Arno*, 1933, huile sur carton, 30 x 46 cm. Coll. part.
94 *Jeunesse*, dit aussi *La Vague au ballon rouge*, 1935, huile sur toile, 28 x 56 cm. Coll. part.
95h Autoportrait daté du 14 août 1942, crayon et aquarelle sur papier, 17,5 x 10,5 cm. Coll. part.
95b *Hyperion*, illustration pour les *Poèmes* de Francis Thompson, 1942, lithographie en quatre couleurs, 24 x 18,2 cm.
96 Maurice Denis, photographié par Pierda, 1943. Coll. part.

TÉMOIGNAGES ET DOCUMENTS

97 *Femme nue de dos*, ayant inspiré la lithographie de Denis pour *Petit Air* de Stéphane Mallarmé, bois gravé, 1891. Coll. part.

INDEX

INDEX DES ŒUVRES DE MAURICE DENIS

Soir de septembre, 1911, huile sur toile, 130 x 180 cm. Nantes, musée des Beaux-Arts.

CRÉDITS PHOTOGRAPHIQUES

Archives Ranson 73b. Archives De Maistre 83b. Catalogue raisonné de l'œuvre de Maurice Denis, Saint-Germain-en-Laye Dos, 1, 2-3, 6-7, 8-9, 14 g, 15, 24, 25, 29, 31, 33, 34, 36h, 38, 39, 40, 41h, 41b, 44, 46h, 48, 49, 50, 51, 53h, 54, 55h, 55b, 56hd, 56bd, 56g, 57hg, 57hd, 57b, 60b, 61b, 65h, 66-67, 73h, 76h, 77h, 77b, 79b, 80h, 80b, 81, 82h, 82b, 90b, 92b, 93, 94, 95h, 96. Catalogue raisonné de l'œuvre de Maurice Denis / Laurent Sully Jaulmes photographe, Saint-Germain-en-Laye 19, 27h. Bridgeman-Giraudon 18h, 20, 22-23, 28b, 36h, 43b, 47, 60h, 63, 74, 76h, 79h. Bridgeman / Peter Willi 86, 89, 91. Chicago, The Art Institute of Art 21b. Musée départemental de l'Oise, Beauvais 52. Musée départemental Maurice Denis, « Le Prieuré », Saint-Germain-en-Laye 14d, 17, 42, 43hg. *L'Œil*, revue d'art 71b. Gallimard / Patrick Léger 11, 13, 16h, 16b, 21h, 26, 27b, 28h, 30b, 37, 43hd, 46bg, 46bd, 53b, 61h, 62b, 64, 65b, 68, 69, 71h, 72, 75, 76b, 78, 84, 85, 87, 90h, 92h, 95b. Photothèque des Musées de la Ville de Paris 83h, 88. RMN 70. RMN / Hervé Lewandowski 1er plat, 4-5, 12, 18b, 22, 23, 32, 35, 36, 58-59; RMN / René-Gabriel Ojéda 30h ; RMN / Gérard Blot / Christian Jean 2e plat, 45, 74 ; RMN / Gérard Blot 126.

REMERCIEMENTS

L'auteur et l'éditeur tiennent à remercier chaleureusement Claire Denis, qui a soutenu avec enthousiasme ce projet et a mis généreusement à leur disposition les Archives Maurice Denis, ainsi que, au sein de son équipe, Marianne Barbey. Ils remercient également Catherine Marquet et Laurence Posselle, de la Réunion des musées nationaux et Annie Dufour au musée d'Orsay.

ÉDITION ET FABRICATION

DÉCOUVERTES GALLIMARD
COLLECTION CONÇUE PAR Pierre Marchand.
DIRECTION Elisabeth de Farcy.
COORDINATION ÉDITORIALE Anne Lemaire.
GRAPHISME Alain Gouessant.
COORDINATION ICONOGRAPHIQUE Isabelle de Latour.
SUIVI DE PRODUCTION Fabienne Brifault.
SUIVI DE PARTENARIAT Madeleine Giai-Levra.
RESPONSABLE COMMUNICATION ET PRESSE Valérie Tolstoï.
PRESSE David Ducreux et Alain Deroudilhe.

MAURICE DENIS, LE SPIRITUEL DANS L'ART
ÉDITION ET ICONOGRAPHIE
Caroline Larroche et Edern Rio.
MAQUETTE
Valentina Leporé.
LECTURE-CORRECTION
Jean-Paul Harris et Jocelyne Marziou.
PHOTOGRAVURE
Arciel Graphic.

Ancien élève de l'École normale supérieure, agrégé des lettres, docteur ès lettres, professeur des universités, Jean-Paul Bouillon est, depuis 2000, membre de l'Institut universitaire de France. Il a publié en 1993 une monographie sur Maurice Denis et une anthologie de ses textes qui ont relancé l'intérêt pour cet artiste et introduit aux expositions rétrospectives de Lyon en 1994 et du musée d'Orsay (puis de Montréal) à l'automne 2006. Historien de l'art des XIXe et XXe siècles, il a publié depuis 1967 de nombreux articles et catalogues d'exposition et une quinzaine d'ouvrages, dont le *Journal de l'Art nouveau* et le *Journal de l'Art déco*, ainsi que des monographies consacrées à Bracquemond et à Klimt, des éditions de textes de Kandinsky, des Goncourt, de Zola et autres critiques d'art du XIXe siècle.

Dépôt légal : octobre 2006
Numéro d'édition : 138600
ISBN Gallimard : 2-07-031929-6
ISBN RMN : 2-7118-5073-0
Imprimé en France par Pollina - L41239